AL SUR DE LA ALAMEDA

Edición a cargo de Verónica Uribe y Sara Rodríguez

Dirección de arte: Iván Larraguibel
Producción editorial: Martín Uribe

Cuarta edición, 2020

Av. Luis Roche, Edif. Banco del Libro, Altamira Sur.
Caracas 1060. Venezuela

C/ Sant Agustí 6, bajos. 08012, Barcelona, España

Av. Italia 2004, Ñuñoa, Santiago de Chile

www.ekare.com

ISBN 978-84-942081-5-7
Depósito legal B.13960.2014

Impreso por GPS Group, Eslovenia

Este producto está hecho de materiales reciclados
y de otras fuentes controladas

AL SUR DE LA ALAMEDA

Diario de una toma

LOLA LARRA

ILUSTRADO POR

VICENTE REINAMONTES

Ediciones Ekaré

Que voulez-vous la porte était gardée
Que voulez-vous nous étions enfermés
Que voulez-vous la rue était barrée
Que voulez-vous la ville était matée

Que voulez-vous elle était affamée
Que voulez-vous nous étions désarmés
Que voulez-vous la nuit était tombée
Que voulez-vous nous nous sommes aimés.

Couvre-feu
Paul Éluard

MEJOR
EDUCACIÓN

DESDE MI VENTANA ALCANZO A VER GRAN PARTE DE LA CIUDAD.
PERO HACE MUCHO QUE LA CIUDAD DEJÓ DE INTERESARME.

ME ENTRETENGO MIRANDO EL COLEGIO, AQUÍ AL LADO. LA RUTINA DE SIEMPRE:
A LAS OCHO, EL BULLICIO DE LA ENTRADA; A LAS DIEZ EL ESTRUENDO DEL RECREO;

LAS HORAS TRANQUILAS DURANTE LAS CLASES; LA SALIDA IMPACIENTE
A LAS TRES. DESPUÉS, EL SILENCIO. POR LAS NOCHES, EL COLEGIO PARECE UN
GRAN BARCO ABANDONADO.

PERO HACE TRES DÍAS, TODO CAMBIÓ. LOS ADULTOS SE FUERON, COMENZÓ LA TOMA Y LOS ALUMNOS HICIERON DEL COLEGIO SU CUARTEL. POR LAS NOCHES EL BARCO SE LLENA DE LUCES Y DE VOCES, DE MURMULLOS Y CARRERAS.
SALA 6

6

SALA
6

Y HAY UNO, NICOLÁS, QUE VAGA SOLITARIO, COMO PERDIDO. Y ESCRIBE.
AHORA MISMO LO ALCANZO A DIVISAR EN LA SALA 6 CON EL CUADERNO ABIERTO.

Viernes

TERCER DÍA EN TOMA

Acabamos de salir de la última reunión de hoy. Nos pasamos el día en reuniones; es una especie de enfermedad que no sé si podré soportar. Escribo desde mi saco de dormir, en la Sala 6 del segundo piso. Aquí es más tranquilo que abajo, donde la mayoría duerme hacinada en la Sala 2, entre la "cocina" y la "enfermería". Es decir, entre las salas que decidieron servirían para preparar la comida (bastante escasa y mala a estas alturas) y para curar a los enfermos y heridos (que no ha habido ninguno).

En estos tres días de toma el colegio ha cambiado y los alumnos también. Están las sillas amontonadas afuera, las mesas pegadas a las ventanas, sacos de dormir en el suelo. Y aunque la mayoría anda todavía de uniforme, se ven distintos, o yo los veo distintos.

Los del Centro de Alumnos se prepararon para la toma y durante la semana pasada trajeron secretamente sacos de arroz, paquetes de tallarines, latas de atún y salsa de tomate. Pero las reservas se agotan y ya no dan para alimentarnos. Podríamos mejorar nuestra dieta si tuviéramos acceso al casino del colegio. Daría cualquier cosa por unas galletas de chocolate o por unas barras de cereal. O simplemente por una bolsita de azúcar. Petrosi, el encargado de la cocina, pasó ese detalle por alto: no tenemos ni un gramo de azúcar.

Sin embargo, el casino está bien cerrado con reja y candados. Fuimos varios los que hoy, tras la escuálida cena, propusimos, una vez más, romper la reja y entrar. "Nada de saqueos", dijeron los del Centro de Alumnos. "No por ahora", agregaron conciliadores. "Debemos dar una imagen intachable", concluyeron. El rumor es que como Aldo es el hijo del dueño del casino, y como también forma parte de la Directiva del Centro de Alumnos, no se atreven a dar la orden. Pero falta poco, digo yo por lo bajo, hambriento.

En la "enfermería", dos chicas de tercero medio pasan allí el día, limándose las uñas y arreglándose el pelo. Se hacen trenzas, se tiñen el pelo y se maquillan. Ofrecen sus servicios de peluquería a las demás niñas, pero hasta el momento solo sus melenas son las que han pasado de café oscuro a un rojo verdoso bastante extraño. Los del Centro les repiten que se pueden hacer turnos, que no es necesario que estén ellas haciendo guardia a todas horas. Pero ambas resoplan: dicen que como van a estudiar medicina son las que están mejor preparadas. En la pizarra escriben algunas recetas: "Antes de atender una herida, hay que limpiarse las manos con alcohol". O frases misteriosas, como "Nunca se sabe lo que puede tener un herido".

La que más me gusta es la Receta para la Rehidratación, escrita en un costado de la pizarra y que no borran nunca:

No creo que nos deshidratemos. Estamos en pleno otoño y la temperatura baja cada día más. Sobre todo en las noches. Deberían darnos más bien alguna receta para la hipotermia. Estoy seguro de que esto pronto se va a poner cada vez más frío. Las paredes del colegio son húmedas y el suelo de baldosas es helado.

Ya llevamos tres días aquí encerrados y parece que la cosa va para largo. Eso acaban de informar los del Centro de Alumnos. Que hay que resistir, que vamos a lograr lo que queremos, que tenemos que mantenernos unidos. Pero algunos, los más chicos, están nerviosos y dicen que quieren volver a sus casas.

A Valentín, que es el presidente del Centro, se le notaba cansado esta tarde. Más nervioso que de costumbre. Anda todo el día de un lado para otro, en reuniones, dentro y fuera del colegio. Los del Centro son los únicos que se dan algunos paseos fuera. Y Valentín es el que más sale de todos. Se reúne con otros líderes estudiantiles, con representantes de la Asamblea Coordinadora de Estudiantes Secundarios. Hasta se reúne con periodistas.

Es curioso lo de Valentín. Hasta la semana pasada, a mí y a mis amigos nos parecía un imbécil. Siempre interviniendo en clase con su voz engolada, citando de memoria largas frases, quedándose a conversar con los profesores cuando sonaba el timbre de salida. Siempre sacando buenas notas, incluso en Educación Física, porque es un atleta bastante pasable. Siempre tan arreglado y peinado, sin quitarse la corbata ni siquiera ahora en la toma.

Además de todo, Valentín es el presidente del Centro de Alumnos. Pero, ¿a quién le importaba eso hace unos días?

Ahora, en cambio, Valentín siempre tiene gente a su alrededor. Todos preguntando cosas, esperando que Valentín les diga qué hacer, y qué decir, y cómo comportarse. Ahora Valentín hasta sale en el diario; lo vimos hoy, en un artículo en El Mostrador, con foto y todo. Valentín da discursos y declaraciones cada vez que abre la boca. Valentín se apropió de la sala de profesores y ahí estableció su Base Uno, como la llaman. Como si estuviéramos escalando el Everest.

De un día para otro, de imbécil ha pasado a ser el líder del colegio. Las cosas cambian así de rápido aquí dentro.

En total somos treinta y cinco. De distintos cursos, aunque la mayoría pertenecemos a tercero y cuarto medio.

Ninguno de mis compañeros del equipo de fútbol se quedó. Así que aquí no cuento ni con Domingo, ni con Fernando, ni con Rafa, mis mejores amigos.

No sé qué estarán pensando de mí.

Deben creer que me volví loco.

Yo también lo pensaría.

Hace una semana no hubiera imaginado que iba a estar aquí.

Hace una semana, cuando empezaron las protestas y cuando se decidió la toma del colegio, yo pensaba, como mis amigos, que todo ese alboroto del Centro de Alumnos era algo que no tenía nada que ver con nosotros.

Ahora no sé qué pienso.

Todo fue culpa de Paula.

Paula, *la francesa.*

DESDE ACÁ VEO A PAULA EN UNO DE LOS CORREDORES. HE ESCUCHADO QUE LE DICEN *LA FRANCESA*. A MÍ ME DECÍAN *LA RONCA* EN ESOS AÑOS, CUANDO SE SUPONÍA QUE UNA NO DEBÍA TENER NI MALDITOS NI FAVORITOS. PERO AHORA YA NADA DE ESO ME IMPORTA. ESTE AÑO, PAULA ES MI FAVORITA.

SALA DE CINE

TVU
PINGÜINOS ENCAPUCHADOS
Con 400 detenidos termina la protesta estudiantil

VIVO
TVU "REVOLUCIÓN PINGÜINA" SE TOMA LAS CALLES

VIVO
TVU "No dialogaremos si hay violencia"

VIVO
TVU 12.000 PERSONAS MARCHAN EN VALPARAÍSO

VIVO
Fech
TVU FECH LLAMA A PARO NACIONAL

0 Km

VIVO
TVU MILLONES EN DAÑO A LA PROPIEDAD PÚBLICA

NO + LUCRO
VIVO
TVU SECUNDARIOS SE TOMAN LA ALAMEDA

2 x 1
LENTE
SOL

VIVO
TVU COLEGIOS DE REGIONES SE SUMAN AL PARO

VIVO
TVU CONTINÚAN DESMANES

Paula me miró con sus ojos negros cuando yo estaba cruzando la puerta del colegio hacia la calle, listo para irme:

—Nicolás —me llamó sin alzar la voz—. ¿Te vas?

Me detuve, desconcertado. La miré, sin responder. Entonces, ella me dijo eso de que no siempre se podía ver la vida desde la seguridad del arco. Esta flaca no tiene ni idea de fútbol, pensé, mucho menos de lo que significa ser arquero. Ser arquero no es estar seguro ni a salvo. Ser arquero no es mirar la vida como lo hacen los espectadores desde las graderías. Por eso me atreví a corregirla. "A mí no me gusta ver el partido desde afuera, nunca lo hago", le dije. Y di la vuelta. Y subí las escaleras y volví a entrar al colegio. Y ella me sonrió por unos segundos, y luego siguió intentando convencer a los que iban saliendo, en una fila apretada e impaciente, de que también se quedaran en la toma.

Antes de volver a cruzar la puerta del instituto pude ver las caras atónitas de Domingo, Fernando y Rafa, que se quedaron en la calle mirando cómo entraba, haciéndome gestos, gritando algo que yo no alcancé a escuchar.

Eso fue hace tres días. Cuando todos los profesores, y también el director, se fueron. Y cuando la mayoría de los alumnos también lo hizo. Cuando los treinta y cinco que estamos aquí dentro, tomamos oficialmente el colegio.

Yo había escuchado de manifestaciones y tomas y, la verdad, pensaba que era otra cosa. Aunque no lo cuento nunca, a mediados de los ochenta, cuando yo aún no había nacido, mis papás andaban todo el día en protestas y barricadas. Sobre todo mi mamá, a la que nunca llamo mamá. En casa todos la llamamos María José. Y María José era la primera en salir y enfrentarse a los pacos. Eso cuenta Ernesto, mi papá. Más de una vez le dieron palizas y la subieron a la patrulla. Mi abuelo iba y la sacaba de la comisaría, antes de que "ocurriera una desgracia", como suele decir. Mi abuelo en esa época tenía contactos con un oficial de carabineros, aunque es una historia en la que mi mamá prefiere no ahondar. María José y Ernesto se conocieron justamente en una protesta. Ernesto ya estaba en la Universidad y mi mamá aún iba al colegio. Se escaparon juntos, se fueron a vivir a una habitación del centro y se casaron en secreto dos meses después, cuando mi mamá cumplió dieciocho años. A mi abuelo casi le dio un infarto, eso cuenta la abuela. Y hasta el día de hoy, apenas sí se hablan con mi papá. Solo se saludan, siempre de usted, y se intercambian algunos gruñidos las pocas veces que están juntos en una habitación. Tres veces al año, exactamente. En Navidad. El día de mi cumpleaños. Y el día del cumpleaños de la Javi, mi hermana chica.

Así que yo ya había escuchado una y otra vez la historia de las protestas de los ochenta, durante la dictadura. La policía esperando para atacar, el guanaco lanzando un furioso chorro de agua, las bombas lacrimógenas, los palos que daban a diestra y siniestra, los ojos llorosos, la garganta picosa y apretada que solo se aliviaba chupando limones, y también los amigos que los pacos se llevaban y a veces nunca más regresaban.

Nada de esto ha sucedido.

Esta es la toma más civilizada que yo haya imaginado.

Primero, el martes, hicimos un paro de media hora, en solidaridad con otros liceos que ya estaban en toma. Salimos de las salas de clase y nos sentamos en el patio. Había alumnos con carteles y algunos gritaron consignas. A todo el mundo le gusta perderse alguna clase, por eso hubo tanta convocatoria. Después de hinchar un rato, volvimos a clase.

Pero el miércoles en la mañana los del Centro de Alumnos convocaron a una asamblea general. Leyeron un manifiesto y dijeron que se tomaban el colegio.

A unas pocas cuadras de aquí están los liceos públicos más emblemáticos de la ciudad, los más luchadores y combativos. El Nacional. El Aplicación. Nosotros siempre hemos sabido de ellos, pero ellos no tenían ni idea de que existíamos. Hasta ahora, porque somos de los pocos colegios privados que se han sumado a las protestas y tomas que hay en todo Chile.

Cuando Valentín terminó de leer el manifiesto del Centro de Alumnos, los profesores se fueron. Y el director cerró con llave su oficina y salió, después de aconsejarnos a todos mucha prudencia y de darle unas palmaditas en el hombro a Valentín. Y la mayoría de los alumnos se fue, felices de tener unos días de vacaciones obligadas. Y nos quedamos nosotros, los 35. Las puertas se cerraron, y se atrancaron las ventanas con maderos y palos.

En la reja que da a la calle lateral pusimos las mesas y las sillas con las patas hacia fuera, como una enorme escultura de madera y metal.

Al día siguiente, en la mañana, recibimos la visita de un delegado de la Asamblea Coordinadora. Valentín lo presentó como el Cachorro Salazar, casi haciéndole reverencias cuando lo condujo hasta la pizarra de la sala de reuniones. Salazar era alto y grande y parecía de dieciocho o veinte años aunque vestía uniforme de secundaria. Se paró frente a nosotros con las manos en la espalda y lo primero que hizo fue felicitarnos por la toma. Todos allá afuera estaban orgullosos de que un colegio como el nuestro se hubiera sumado al paro estudiantil, dijo. Porque, agregó, significaba que todos los estudiantes del país, ricos y pobres, estábamos en la misma onda. Era un excelente síntoma, continuó, que se produjera esta toma emblemática (y el tono con el que dijo "emblemática" me sonó torcido, como que no era ningún piropo).

—La educación chilena se ha vuelto una forma más de reproducir la enorme desigualdad de nuestra sociedad. Al que nace pobre en una comuna sin recursos no le queda otra que ir a un liceo municipal pobre y de bajísima calidad. Es cierto que cuando comenzamos las protestas hace casi un mes, pedíamos solamente el pase escolar gratuito y también gratuidad para la PSU. Pero a medida que hemos discutido nuestra situación, nos damos cuenta de que necesitamos mucho más que estas peticiones. La educación necesita cambios estructurales, es urgente cambiar la

LOCE, la Ley de Enseñanza, terminar con la municipalización. Y nosotros podemos hacer un cambio. Las movilizaciones así lo han demostrado —en ese momento Salazar hizo una pausa de varios segundos, como si se le hubiera acabado la cuerda—. Todos dicen que somos una generación perdida, que somos egoístas, que "no estamos ni ahí"... Seguramente les han dicho mil veces que son unos consentidos a los que solo les preocupa vestirse bien, escuchar mala música y salir a emborracharse en las plazas...

Miré a mi alrededor. Todos estaban muy concentrados y atentos escuchando al Cachorro Salazar, que a mí me parecía un petulante. Si Rafa o Fernando o Domingo hubieran estado ahí, cruzaríamos nuestras miradas y sin decirnos nada pensaríamos los cuatro lo mismo: que el Cachorro creía justamente todo eso, que nosotros éramos unos mamones en comparación con los estudiantes como él.

—...porque somos uno, porque juntos podremos cumplir nuestros objetivos comunes. Por eso es tan importante que estemos unidos para la marcha del martes 30... —Salazar seguía, pero yo me acerqué a la puerta y salí al patio. Esa mañana del jueves, dentro del aula de reuniones, repleta de gente, el ambiente estaba cargado y sofocante. Quería respirar. Y en ese momento fue la primera vez que pensé en lo solo que estaba en la toma, sin ninguno de mis amigos para reír y tirar la talla.

—¿Dónde estás, huevón? —me había preguntado Fernando al teléfono la noche anterior. Yo acababa de encender el celular, recién cargado, y ya había un montón de llamadas perdidas.

—Aquí, en el colegio.

—¿Qué haces allí, huevón?

—En la toma.

—Eres muy huevón.

Como se puede ver, el vocabulario de Fernando es muy amplio.

—¿Algún problema?

—No, nada —Fernando se quedó callado un rato largo, como dos minutos—. ¿Ya hablaste con Domingo y Rafa?

—Andaba con el celular descargado. Lo acabo de encender. El Mangueras me prestó su cargador.

—¡Oye, faltan solo 16 días! —Fernando llevaba religiosamente la cuenta atrás del comienzo del Mundial de Fútbol—. Tenemos que hacer las apuestas. Yo digo que 10 lucas por cabeza; si no, la hueá no tiene ningún brillo.

Tras una batalla dura y tristísima, Chile se había quedado fuera en las eliminatorias. Por eso cada uno barajaba su segunda opción: Fernando iba por Italia; Domingo, por el país anfitrión, Alemania; yo, por Francia, porque Colombia, mi otro equipo favorito, también había sido eliminado. Y Rafa, por llevar la contraria, decía que apostaría por Ghana, ¡por Ghana!

—Y... ¿todo bien por allí? —siguió Fernando al ver que yo no contestaba.

—Sí, todo tranquilo.

—Okey.

—Bueno, tengo que llamar a mi casa. Deben estar preocupados de que no llegué a comer.

—Ya. Bueno. Nos vemos mañana.

—Eso. Chao.

En mi casa, la que contestó el teléfono fue mi hermana chica. La Javi siempre anda rondando el aparato, esperando que la llame un pretendiente que tiene, aunque todavía es una pulga de séptimo básico. Atendió y dio un grito histérico, llamando a mi mamá. Sé que no podía creer que me hubiera sumado a la toma. Me informó que mis papás ya estaban al tanto, que ella se había encargado.

—Pásame a María José —le dije. Y escuché los zapatos de mi madre corriendo por el suelo de madera del pasillo de casa.

Aunque intentó disimularlo, la voz de mi mamá se escuchaba emocionada.

—¿Estás bien, Nicolás?

—Todo perfecto, María José.

—¿Tienes algo abrigado para dormir?

—Sacamos las colchonetas del gimnasio y también hay sacos de dormir.

—Bien. Qué buena idea.

—Y también tenemos comida.

—Veo que están bien organizados. Si necesitan cualquier cosa, yo puedo ayudarlos. Cuentas con nosotros para lo que sea.

—¿Y Ernesto?

—Tu papá sigue en la oficina, pero está al tanto.

—Bueno, tengo pocos minutos así que mejor colgamos.

—Sí, claro. Yo te estaré llamando.

—Bien.

—Nico —mi mamá se aclaró la garganta—. Quería decirte que estoy muy orgullosa de ti. De que luches por lo que crees justo.

Las cosas son curiosas.

He parado más tiros al arco que ningún arquero de la liga interescolar. He logrado detener siete penaltis en partidos del campeonato, y nadie de mi edad que yo conozca puede jactarse de lo mismo. Pero era la primera vez que mi mamá me decía que estaba orgullosa de mí.

¡GLADYS,
SALVADOR,
NEVADO,
MANCHI,
BRUNO,
HORTENSIA,
CELESTE!

¡A COMER!

ES UN HORRIBLE DÍA DE OTOÑO. UNA MAÑANA HORRIBLE, GRIS Y FRÍA. LOS MUCHACHOS DEBEN ESTAR HELADOS.

¡ARRIBA
+S Q LUCHAN

no +
LOCE

Paul Éluard

LAB
COCINA
O

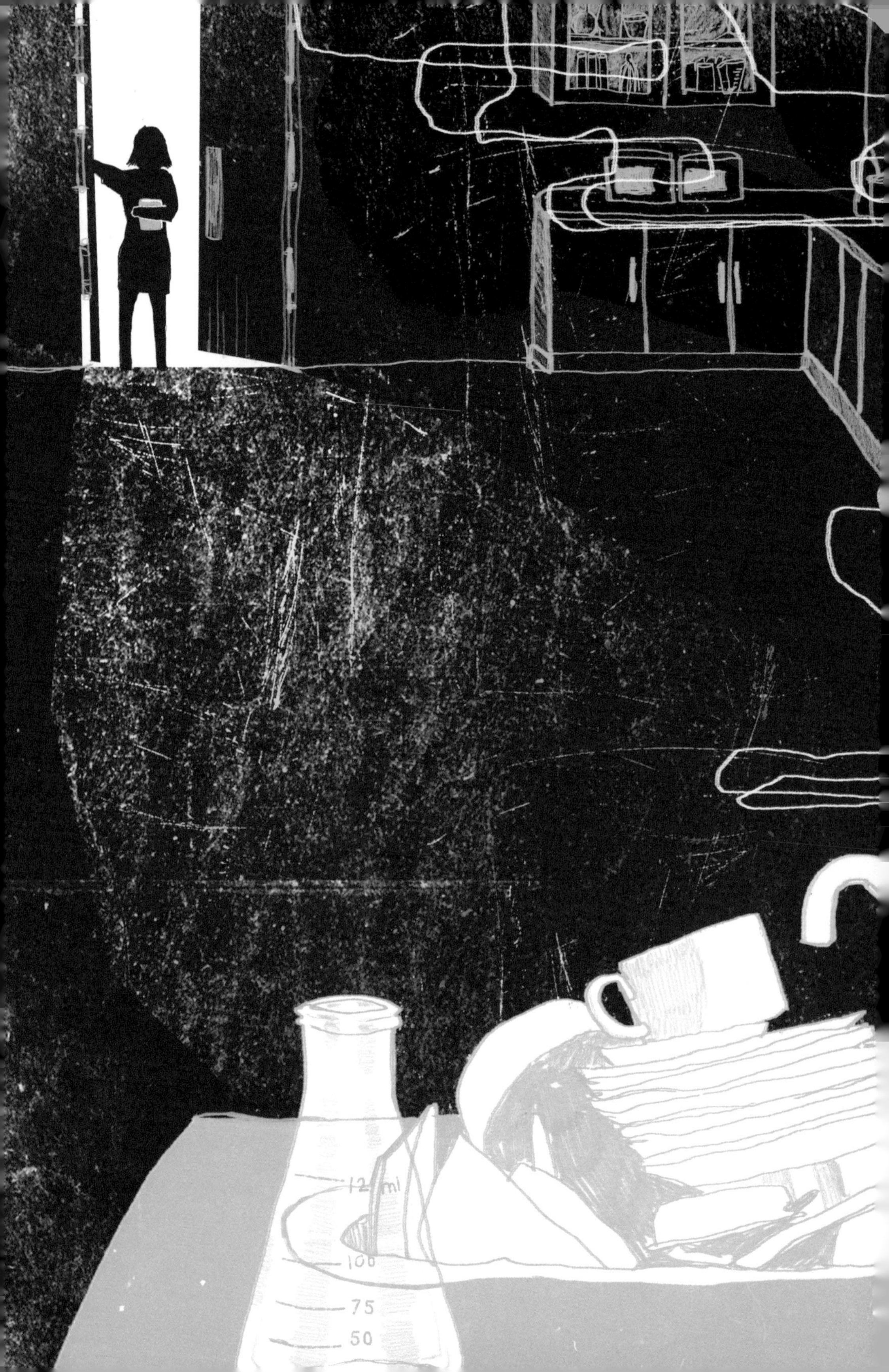
100
75
50

NOESCAFE

Sábado

CUARTO DÍA EN TOMA

Como todos los días entreno a las siete de la mañana, estoy acostumbrado a levantarme temprano. Nunca puedo dormir más allá de las siete y media u ocho. Suelo correr cuatro kilómetros, luego hago planchas, abdominales y salto la cuerda. Aquí en el colegio no es muy divertido correr, así que lo quité de la rutina. Me limito a hacer mis ejercicios en el gimnasio, luego me lavo como puedo y voy a desayunar, cuando aún ni Petrosi ni la Tini, una chica pelirroja de segundo medio que lo ayuda en la cocina, se han levantado.

Huevos revueltos, pan tostado, palta molida, leche con plátano y un bol de cereales con frutas, yogur y miel. ¿Creen que eso es lo que hay aquí en esta "cocina" de la toma? Ni pensarlo... Con eso sueño yo mientras me suenan las tripas. Resignado, pongo avena y leche en una olla, la coloco al fuego hasta que borbotea, caliento agua y le echo unas pocas cucharadas de Nescafé. Del pan, olvidarse, porque hay un par de bolsas pero las guardamos para emergencias. Y además no hay nada para untarlo. Ni mermelada, ni mantequilla, mucho menos palta. Es en este momento del día cuando más me arrepiento de la decisión de quedarme en la toma. Después de que yo entreno, llego a casa y María José ya está despierta, preparando un desayuno que es como para un ejército. Dice que debo alimentarme bien, que gasto demasiada energía. De solo pensarlo, se me hace agua la boca. La avena que yo preparo, sin azúcar ni miel ni frutas, es apestosa.

Esta mañana, Paula se sentó a mi lado en el comedor. Llevaba un libro en la mano. Paula siempre va por ahí con un libro. Me dijo que podía prestármelo, que lo acababa de terminar. Yo dudé. Y eso bastó para que Paula sonriera: "Claro, se me olvidaba que tú no lees". Y lo dijo con un tono de voz y con un aire de superioridad detestables. ¡Qué pesada la mina!

A mucha gente le cae mal Paula. Pocos soportan su manera de ser y de decir las cosas. Reconozco que es bastante especial. Es una de esas personas que nunca se calla, mucho menos cuando lo mejor justamente es callarse. Y suele hablar con una calma provocadora que desespera.

La primera vez que me fijé en ella fue en el casino, a la hora del almuerzo. Era una alumna nueva, acababa de entrar al colegio y yo no la conocía, no está en mi clase. Paula se levantó de su silla, con la bandeja de la comida en las manos, y con mucha tranquilidad caminó hasta la caja registradora, allí donde el papá de Aldo sudaba sacando cuentas y ordenando los tickets del almuerzo.

—¿Sabía que Chile tiene una de las tasas de obesidad infantil más altas del mundo? —le dijo, pronunciando muy bien todas las palabras.

El papá de Aldo levantó la cabeza y miró a Paula con una expresión confusa.

—¿Quieres algo?

—Quiero decir que usted es uno de los que contribuye a la obesidad infantil. Digo que esta comida es una vergüenza. Y encima está recocida y con demasiada sal.

El papá de Aldo no podía creer lo que estaba escuchando. Se quedó allí estupefacto mientras Paula dejaba la bandeja intacta sobre el mostrador y caminaba lentamente hasta la puerta del casino.

Hay gente que piensa que Paula hace esas cosas solo para llamar la atención. Puede que en parte sea eso. Pero hay algo más, que es lo que me gusta de ella: Paula parece nunca tener miedo. Por lo menos parece no tener miedo a hacer el ridículo.

Los padres de Paula vivieron en Francia. Ella nació allí, en una ciudad llamada Lyon, que no tengo idea dónde queda, ya lo buscaré en Internet. Volvió a Santiago el año pasado y entró a nuestro colegio. Es más alta que las otras chicas, tiene el pelo liso y corto, hasta la barbilla, los ojos muy negros y cuando pronuncia las erres hace un raro gorgoteo. Ni Fernando ni Domingo, que siempre están hablando de mujeres, la consideran una de las del grupo de las 'impecables', como llaman a las chicas más atractivas y exuberantes (léase grandes tetas y grandes culos) y que en el colegio son solo cuatro. Dicen que Paula no es fea, que está pasable, pero que tampoco destaca. Yo prefiero no opinar.

Paula pertenece al Centro de Alumnos. Es una de las vocales y estos días ha demostrado que es muy buena dando discursos. Habla de un solo tema a la vez, todo bien ordenado. A veces envidio a esas personas que parecen tener las cosas tan claras en la cabeza como para poder decirlas de corrido. Como Paula, que pronuncia todas las letras de cada palabra, sin comerse las eses finales. Y nunca dice *cachai*, ni *querís*, ni *sabís*.

Una vez contó que en Francia hay educación gratuita para todos, hasta la Universidad, que es algo que muchos no creyeron pero yo pregunté después a mis papás y me lo confirmaron. A partir de ahí muchos comenzaron a llamarla *la francesa*.

—¿Por qué crees que no leo? —me atreví a preguntar antes de que se alejara de mi lado con su tazón de avena en las manos—. ¿Crees que los futbolistas no leemos?

Paula se detuvo y me miró arrugando la nariz con un gesto de concentración.

Yo pensé en la biblioteca de mi habitación, en la colección de cómics que guardo desde chico. Todos los Tintín. Y los Astérix, por supuesto. Seguro que esos libros a Paula le parecerían infantiles. Y luego están mis novelas policiales, en los estantes más altos. Tengo todas las de Sherlock Holmes. Y algunas novelas negras de Hammett y de Chandler. Seguro que Paula lee cosas más "serias".

Intenté descubrir el título del libro que llevaba en la mano. Era algo en francés. No pude distinguir nada más. Tintín y Astérix están escritos en francés, me dije, pero supongo que ninguno de ellos califica para ella.

—Tal vez me equivoque. Pero es que nunca te he visto con un libro en las manos.

—Porque no los voy mostrando —contesté.

—¡Ah! Entonces deben estar todos en tu mochila —dejó el tazón en una mesa y salió corriendo hacia las salas del segundo piso.

Tardé un par de segundos en darme cuenta. Salté de la silla y salí tras ella. La alcancé en la Sala 6, cuando ya estaba sobre mi colchoneta, buscando mi mochila entre los dobleces del saco de dormir. Me abalancé sobre ella antes de que pudiera abrirla. No quería que viera este diario. Sería terrible.

Forcejeamos un rato y terminamos agotados, echados sobre el saco de dormir, riéndonos. Entonces sentimos una voz:

—Un poco de respeto por los que duermen... —era el Mangueras, acurrucado en su colchoneta unos metros más allá.

Paula pareció olvidarse de curiosear entre mis cosas y salimos del aula de puntillas. Cuando bajábamos las escaleras hacia el patio, me dijo muy seria:

—Deberíamos organizar algo. Un partido o algo.

—¿Un partido?

—Todos están bastante nerviosos y creo que hacer algo divertido, y sobre todo agotador, podría servir.

LA EDUCACIÓN
NO $E VENDE
¡se defiende!

¿QUÉ HACEN LOS DEL EQUIPO DE FÚTBOL LLEGANDO AL COLEGIO? ¿SERÁ QUE SE SUMAN A LA TOMA?

09-2754668

A las doce del mediodía empezó el partido en la cancha de fútbol del patio. Primero íbamos a ser hombres contra mujeres. Luego, los de cuarto contra los de tercero medio. Después, los de las clases A contra los de los cursos B. Al final hubo tantos cambios que no sé cuál fue el criterio. Una mezcla de todo, supongo. Paula estaba en el equipo contrario y nadie pudo batir mi arco en los primeros 20 minutos de juego.

—¡Trampa, trampa! —gritaron los del otro equipo—. Nicolás debería jugar en otra posición.

Yo encogí los hombros, le pasé mis guantes y mis rodilleras al Mangueras y me coloqué en uno de los laterales. Marqué dos goles. Paula me miraba entre furiosa y divertida. Ganamos, claro. A los 42 minutos de partido se dieron por vencidos. Estaban casi todos bufando, agotados, desparramados por los costados de la cancha, sobre los bancos o en el suelo.

En ese momento sonó mi celular. Era Domingo. Ya habíamos hablado un par de veces y, en ambas, Domingo me había dicho que le parecía bacán que yo estuviera en la toma. Y yo le había dicho que entonces se sumara.

—Nicolás, ¿qué pasa allí dentro? —me preguntó Domingo.

—Bueno, poca comida y un poco aburridos. Pero acabamos de organizar un partido. Tendrías que haberlos visto. Apenas aguantaron media hora.

—Es que fuimos y no nos dejaron pasar.

—¿Cómo?

—Hace un rato Fernando, Rafa y yo nos acercamos a la entrada del colegio. Tocamos la puerta, largo rato. Al final unos cabros chicos se asomaron por la ventanilla de la puerta y nos dijeron que nos fuéramos, que no podíamos entrar.

—¿Venían a quedarse en la toma?

—Bueno, no sé si a quedarnos. Era para verte un rato.

—¿Un rato? ¿Cómo que un rato?

—¿Y por qué no?

—Porque es una toma. Nadie puede salir, a menos que haya sido elegido para alguna misión en concreto. Nadie puede entrar, a menos que hayamos convocado alguna actividad abierta a todo público —sin querer estaba recitando las reglas que nos habían dado en la primera asamblea. Me estoy pareciendo al imbécil de Valentín, pensé.

—Oye, llevábamos unas salchichas, y pan, para unos completos. Y no nos dejaron ni asomarnos.

—¿Salchichas como para treinta y cinco? Esos son los que estamos aquí.

—No, claro que no. ¿Por qué voy a alimentar a todo el colegio? Era comida solo para nosotros cuatro.

No me enojé porque pensé en sus padres. Eran unos viejos tiesos, conservadores, muy momios, como diría María José. Seguro que jamás había escuchado nada de las tomas, en su casa jamás se hablaba de política y nunca supe por qué lo habían metido en nuestro colegio, que es un instituto relativamente liberal. Tal vez solo por comodidad, porque quedaba a un par de cuadras de su casa.

—Gracias, compadre —dije—. Hubiera estado muy bien comer unos completos. Aquí se pasa hambre.

—No sé quién nos hablaba por la ventanilla. Pero hasta nos pidieron que les mostráramos nuestros carnets. Como si no supieran quiénes somos. Como si fuéramos unos completos desconocidos.

Domingo, y la verdad es que todos los del equipo de fútbol, damos por sentado que el colegio entero nos conoce. Somos las estrellas. Eso piensa Domingo, sobre todo él que es delantero y máximo goleador. Y eso pensaba yo, hasta este miércoles: que aunque no supiéramos el nombre de nadie, todos tenían que saber quiénes somos, cómo nos llamamos, y cuáles y cuántas son nuestras hazañas deportivas. Ahora he descubierto que hay muchos a los que el fútbol les vale hongo.

—Bueno, es que andan muy nerviosos. Piensan que en cualquier momento van a venir los pacos a desalojarnos.

—Ya. Puede ser.

—Valentín anda complicado. Él y todos los del Centro de Alumnos.

—Rafa sí se quería quedar.

—¿Rafa?

—Sí, nos dijo que él se quedaba contigo. Piensa que allá dentro necesitas compañía.

Rafa, de los cuatro, es el más callado. Es un año menor que nosotros pero es el más alto y el más fuerte. Llegó al colegio hace tres años. Es del Sur y allá era el mejor futbolista de su colegio. Incluso querían ficharlo para las inferiores de Huachipato FC. Pero ese año Rafa se pegó el estirón. Llegó en unos pocos meses al metro noventa y dos. Y los de la federación llamaron a sus papás y les recomendaron que Rafa mejor se dedicara al rugby, que en eso podía tener futuro, porque en el fútbol, dijeron ellos, pero no es verdad, era mejor ser pequeño, liviano y rápido. Lo cierto es que Rafa es muy rápido. Nunca lo imaginarías al verlo caminar, un poco torpe y desgarbado, con los hombros siempre pegados a las orejas. Pero cuando sale a la cancha es un bólido. Y ninguno de los contrincantes se atreve a acercarse cuando va disparado por el centro del campo, llevando la pelota sin ninguna dificultad, como si la acariciara con los pies. Rafa, no sé por qué, evita meter goles. Siempre pasa la pelota a último minuto, cuando ya está cerca del arco contrario. Hace un buen pase, perfecto, efectivo, para que sea otro el que se lleve los aplausos. El entrenador dice que Rafa es un jugador generoso. Otros dicen que es un rajado. Yo no sé qué pensar. A veces lo veo desde mi portería, con el arco contrario a tiro, con un lanzamiento infalible... y la pasa. Como si no quisiera tomar el riesgo de equivocarse.

—Dile que lo voy a consultar con el Centro de Alumnos. Y que le aviso. Si todavía tiene ganas de venirse a la toma, yo feliz. Llámame en un par de horas. Ando sin minutos en el celular.

—Ya, bacán —y Domingo colgó.

Tomé mi mochila y me acerqué a la puerta de la sala de profesores. Quería decirle a Valentín que Rafa se iba a sumar a la toma, y preguntarle cómo hacíamos para dejarlo pasar.

La puerta de la Base Uno estaba cerrada pero no así la ventana alta que daba al pasillo y por la que se colaban voces, discutiendo. Era Paula la que hablaba en ese momento.

—Hay que decirles a todos. Ahora mismo hay que convocar una asamblea general —decía—. ¡Me parece increíble que hayas recibido esto ayer y no nos hayas dicho nada!

—Paula, es mejor que no digamos nada, por ahora —era la voz de Valentín.

—Eso es jugar sucio —Paula había bajado el volumen y su voz sonaba más ronca que de costumbre.

—Yo estoy siempre por la transparencia —no reconocí al que hablaba ahora, seguramente alguno de los devotos de Valentín, esos que desde que comenzó la toma no se le despegan—. Pero en este caso deberíamos ser prudentes, como dice Valentín. Votemos primero entre nosotros, los del Centro, y mañana decidimos qué hacer. O mejor el lunes. Creo que es mejor pasar el fin de semana tranquilos.

—El director puede pedir a los pacos que vengan a desalojarnos. Y hay que estar preparados. ¿Cómo vamos a estarlo si nadie sabe lo que está pasando? —era Paula de nuevo. Cuando dijo 'preparados' dejó escapar una de sus erres líquidas.

—La carta dice bien claro que no piensan desalojarnos.

—Entonces, ¿por qué no contarlo? Aquí las decisiones se toman entre todos por votación democrática, no decide solo el Centro de Alumnos. No puedes olvidar eso.

Valentín se quedó callado unos segundos. Me imaginé a Paula, parada frente a Valentín, desafiante. Y a Valentín y a su seguidor, fuera quien fuese, sin saber a dónde mirar, sin poder sostener la mirada oscura de Paula.

—Déjame pensarlo, tal vez sea bueno consultarlo primero con los de la Asamblea. Ellos tienen experiencia. Llamaré al Cachorro —Valentín habló con un tono preocupado, como si las cosas estuvieran comenzando a superarlo—. Fue un error no hablarlo de inmediato con ustedes. Pero créeme, Paula, cuando te digo que anoche no le hice ni caso a la carta. Estaba en diez cosas a la vez y no me detuve a pensarlo. Dame tiempo hasta mañana.

—Mañana en la mañana, en la primera reunión. Con todos. No una votación interna del Centro de Alumnos.

Nadie le respondió.

Paula y yo casi nos chocamos. La seguí por el pasillo. Tenía la boca apretada y no dijo nada cuando le pregunté qué pasaba. Caminamos en silencio hasta el final del corredor, allí donde un muro alto coronado de alambre de púas nos separaba de la calle, un rincón que algunos del colegio usan para ir a fumar a escondidas. En ese momento no había nadie. Paula se sentó al borde de un muro bajo y me hizo señas para que me acercara.

Me senté a su lado. Paula sacó un papel doblado del bolsillo de su polerón y me lo pasó.

Era una carta que llevaba el membrete del colegio.

Tardé unos minutos en terminarla.

Santiago, 25 de mayo de 2006

Estimada Comunidad Estudiantil:

Frente a la movilización estudiantil y la participación de nuestros estudiantes en ella, señalamos:

La Dirección apoya las medidas adoptadas por el Equipo Directivo que, si bien valora el desarrollo de la vocación política de los alumnos, **no apoya la toma del establecimiento** por considerarla innecesaria e inconveniente para nuestro colegio.

No obstante lo anterior, y en consecuencia con los valores de nuestro colegio, no se utilizarán medidas de fuerza para desalojar a los estudiantes, miembros de nuestra comunidad, democráticamente movilizados.

Seguros de que el diálogo y la búsqueda de soluciones conjuntas nos permitirán avanzar efectivamente hacia la normalización de las actividades al interior del colegio, no dejamos de reconocer en este proceso un aprendizaje cívico-social de relevancia.

Firmado: LA DIRECCIÓN

Al acabar, se la devolví. Paula se quedó esperando que yo dijera algo. Y yo no sabía qué decir.

—¿Te das cuenta?

Yo titubeé un momento antes de responder:

—Que la Dirección ya no está de acuerdo con la toma.

—Y tampoco los profesores. Así que habrá problemas —Paula hablaba muy seria.

—¿Qué problemas puede haber? —y lo pregunté de verdad, sin retórica, porque a mí no se me ocurría ninguno.

—Hay muchos alumnos que están aquí porque la Dirección del colegio apoyaba la toma. Viste cómo el director se marchó tranquilamente, incluso alentándonos. Viste cómo salieron los profesores, sin poner ninguna objeción. Hubo una reunión el martes en la mañana y acordaron que no harían nada en contra de la toma. Incluso la Gertru, de Matemáticas, y el García, de Historia, propusieron venir a darnos unos talleres la semana que viene para que no nos retrasáramos con las asignaturas.

—¿Y por qué ahora todos cambiaron de opinión?

—No lo sé. El director puede haber recibido presiones de los padres, o del Ministerio, o de la Alcaldía, quién sabe.

—Bueno, entonces seguimos sin apoyo de la Dirección. Así pasa en la mayoría de los liceos, ¿no? Hasta el momento esta toma ha sido tan civilizada que no me lo creo...

—Pero ahora —Paula me interrumpió—... ahora muchos querrán irse. No estarán dispuestos a enfrentarse a sus papás, al colegio, al director. La toma puede venirse abajo.

Paula parecía consternada. Quise tomarle la mano, o acariciarle el pelo, pero no hice nada. Quería decirle que no creía que fuera algo tan grave, estaba seguro de que a muchos no les importaría este cambio de actitud de la Dirección. Ya habíamos tomado el riesgo al quedarnos en el colegio. Pero no dije nada.

—Supongo que lo que más me decepciona es la actitud de Valentín—dijo, y estaba de pronto muy triste—. Creía en él. Todos confiábamos en él.

—Valentín es un aburrido, un latero.

—No digas eso. Yo lo respeto mucho como dirigente. De verdad cree en esto y tiene las ideas muy claras. Fue el primero en hablar de sumarnos a las protestas. El que puso el debate sobre la mesa. El que organizó la toma. Y logró que todo el colegio se interesara por lo que estaba pasando afuera. En un colegio como este, donde a nadie le importa nada más que el pololeo, las tenidas, el carrete del viernes y el fútbol del domingo...

Paula se interrumpió.

—Yo lo contaría de inmediato —dije peleador. Escuchar de boca de Paula las maravillas del liderazgo de Valentín me había puesto en pie de guerra—. No me gusta nada la separación que siempre hace entre ustedes, los del Centro, y nosotros, el resto. Todos estamos juntos en esto.

Paula alzó sus cejas. Son unas cejas tan negras como sus ojos.

—En serio que no quiero pelearme con Valentín —Paula

sacudió la cabeza y su pelo corto bailó alrededor del cuello—. Cuando llegué al colegio, era de los únicos que me hablaba, casi el único. Me ayudó, nos hicimos amigos. Pero también reconozco que desde que empezó la toma se le subieron los humos. A veces se comporta como si fuera el jefe de todos nosotros.

Paula se levantó del muro y se pasó la mano por la falda, como si se la hubiera ensuciado con tierra. Sé que algunas de la clase se burlan por cómo se arregla, de su corte de pelo, de su maquillaje. Dicen que parece de otra época. Y yo creo que no es nada malo parecer de otra época. A veces yo lo preferiría, haber vivido en otra época.

—Bueno, vamos —dijo Paula y dio un inmenso suspiro—. Convoquemos a la gente.

—¿Les vas a leer la carta en público?

—No sé. Supongo. No sé qué hacer... Valentín me pidió que le diera tiempo hasta mañana.

Me quedé de pie, pensando un momento. Paula estaba indecisa, con la carta en la mano.

—Tengo una idea mejor —dije—. El Mangueras nos puede ayudar en esto.

—¿Cómo?

—Lleva el blog de la toma. Lo escribe todos los días, y la mayoría lo lee —Paula asintió, ya lo sabía—. Que él publique la carta en el blog. Así Valentín no podrá recriminarte nada. Se llama 'filtrar' una información.

Paula me miró risueña, sorprendida.

—¿Cómo se te ocurrió?

—Mi mamá, María José, es periodista. Y alguna vez me contó que cuando alguien quiere que la opinión pública se entere de algo, pero no lo quiere contar él mismo, y tampoco quiere que lo relacionen con esa información de ninguna manera, simplemente la filtra a los medios. Nosotros filtraremos la carta a nuestra prensa, que es el Mangueras.

Paula se rió. Esta vez se trataba de una risa maliciosa que a mí me encantó. Y me pasó la carta. Y me siguió por los pasillos hasta la sala de computación. Antes de entrar, me tomó del brazo, y pude sentir sus dedos suaves sobre mi piel.

—Tal vez sea un poco cobarde. Hacerlo así, como escondiéndose. No estoy segura...

—Se llama libertad de expresión. Ven.

En la sala hay doce computadores y en los días normales casi siempre están ocupados. Pero ahora, con la toma, jamás-jamás están vacíos, a ninguna hora. Todos quieren estar conectados. La gente tiene que anotarse en una lista y hay esperas de horas. Los computadores se pueden usar un máximo de cuarenta minutos. El Mangueras es el único que puede usarlos el tiempo que quiera, porque es el encargado de la sala y porque hace el blog. Y allí estaba. Tecleando muy fuerte y muy rápido. Yo lo llamé desde la puerta.

Hablamos en el patio, lejos de los demás. Le conté lo que

pasaba y le pasé la carta. El Mangueras asintió todo el rato. Luego se marchó guiñándonos un ojo. El Mangueras sí que parece de otra época. Lleva el pelo largo y se deja un bigotito fino y una barba tan roñosa que parece que nunca se lavara la cara. Ahora que duermo junto a él, he comprobado que en realidad se lava poco.

A las ocho, en la asamblea general, los alumnos estaban inquietos. La mayoría ya había leído la carta de la Dirección en el blog. Y todos ellos querían preguntarle a Valentín qué era lo que estaba pasando. Pero cuando Valentín entró, acompañado de los miembros del Centro de Alumnos, lo primero que hizo fue levantar la mano para acallar los murmullos, y habló con voz firme:

—Sé que todos ustedes ya han leído la carta de la Dirección. Y me alegro. Por eso se publicó en el blog de la toma. Para que todos estuvieran enterados a la hora de la reunión y pudiéramos discutirlo.

Paula y yo nos miramos, sorprendidos. El Mangueras, que estaba sentado en las primeras filas, también se dio la vuelta, buscándome entre la gente con los ojos abiertos como platos. Yo encogí los hombros. Valentín no era nada de tonto. Sabía que la carta se había publicado en el blog y estaba tratando de sacar ventaja.

—Las cosas se están poniendo difíciles —siguió Valentín—. Por eso tenemos que estar bien preparados. Acuérdense del desalojo del Lastarria el lunes pasado. Sacaron a más de cuarenta estudiantes por la fuerza, a palos, arrastrándolos, argumentando que no tenían ningún derecho a estar allí, en su propio liceo. ¡Si uno no tiene derecho a estar en su propio colegio, a pedir un poco de justicia y a poner en práctica toda la teoría democrática que nos inculcan, que me digan para qué venimos cada día a estudiar! —todos estaban cautivados. Otra frase como aquella y la gente comenzaría a aplaudir—. Han podido con dos, solo con dos. Pero hoy, ocho nuevos colegios de regiones se sumaron a las tomas. La movilización ya no es solo aquí en Santiago, Valparaíso y Concepción. En todo el país hay más de cien colegios en paro. La FECH nos apoya. La gente nos apoya. Los medios nos escuchan. Así que tenemos que seguir resistiendo.

Cuando Valentín terminó de hablar, un murmullo de voces comenzó a resonar en el salón, cada vez más fuerte. Todos preguntaban, discutían, mientras Valentín llamaba a la calma.

Me di vuelta para mirar de nuevo a Paula, parada junto a la puerta. Estaba muy blanca, o eso me pareció. Valentín le dio la palabra a una chica de tercero llamada Francisca. No forma parte del Centro de Alumnos pero siempre está muy metida en la movida política de la escuela. Es una anarquista, me había dicho el Mangueras la noche anterior desde su saco de dormir. Lo dijo admirado, acompañando la frase con un suspiro. Y no era difícil darse cuenta de que al Mangueras, la Francisca le gusta mucho.

—En el Insuco la cosa está muy violenta. Una amiga me lo mensajeó —comenzó Francisca, con una voz aguda y estridente. Mientras hablaba, se tomaba un mechón de su largo pelo y se lo iba enrulando. El Mangueras la miraba embobado—. Pero siendo este un colegio privado, no pasará nada. Los pacos nunca vendrán hasta acá. No creo que tengamos que preocuparnos.

Valentín afirmaba con la cabeza, rascándose la barbilla. Otros dos alumnos también hablaron. Estaban convencidos de que la toma debía seguir.

Luego, un alumno de primero medio al que le dicen Barracuda, porque tiene los dientes pequeños y afilados, se atrevió a decir lo que algunos estaban mascullando en voz baja. Que a partir de ese momento, sin el apoyo de la Dirección de la escuela, los padres no estarían tan de acuerdo en dejarlos seguir con la toma. Muchos obligarían a sus hijos a volver a casa. La mitad de la concurrencia abucheó la intervención, llamándolo cobarde. Pero varios, los más chicos, se quedaron pensativos.

Miré de nuevo hacia la puerta, pero Paula ya no estaba. Me escabullí hacia el pasillo y la busqué en el primer piso. No la encontré en ningún lado; supuse que se había metido en el baño de mujeres. Subí al segundo piso, hasta la Sala 6, donde duermo. Nada. No había nadie. Todo el colegio estaba en la asamblea. Desde abajo subían las voces confusas de la reunión. Tuve ganas de acostarme a dormir. En ese momento sonó mi celular. Era Rafa.

—Hola —y se quedó callado. Como creo que ya conté, Rafa es un hombre de pocas palabras.

—Qué bueno que me llamas. No tengo minutos en el celular.

—Sí, eso me contó Domingo.

—¿Cómo está todo allá afuera?

—¡Bah! Tranquilo. Aburrido. Sin partido el fin de semana...

—Claro, con las tomas se ha suspendido la liga... —nos quedamos unos segundos en silencio—. Me dijo Domingo que pensabas venir a quedarte.

—Si hace falta... No tengo nada que hacer.

—Yo feliz. Necesito compañía —le dije.

—No puedo ir ahora. Estoy cuidando a mi hermano chico. Tengo que esperar que llegue mi mamá. Viene como a las nueve.

—¿Y te va a dejar salir a esa hora y venirte al colegio de noche?

—Pfffffff —soltó—. No creo que le importe.

—Bueno, si no se puede hoy, te vienes mañana. Les voy a contar a los del Centro de Alumnos que te quieres sumar. Para que avisen a los de la puerta y te abran.

—Están locos. Esta mañana no nos dejaron ni asomarnos.

—Sí, aquí la cosa está revuelta. Ahora mismo están abajo en la asamblea. Creo que están decidiendo si la toma continúa o no. Hablemos en un rato. Avísame cuando llegue tu mamá a la casa y sepas si puedes salir o no.

Colgué y de inmediato volvió a sonar el celular. Cada vez que comienza a sonar, me pongo un poco nervioso. No me gustan mucho los celulares, tengo que reconocerlo. En realidad no me gustan los teléfonos en general, y los celulares en particular. No me gusta nada hablar con gente a la que no puedo ver.

La que llamaba ahora era María José, mi mamá. Normalmente no me llama nunca, a ella tampoco le gustan los teléfonos. Tiene un celular porque es una obligación de su trabajo. Pero no llama casi nunca. Digo, no es como esas señoras que están en el tráfico, o en un semáforo, o en la fila del supermercado, y encienden el celular para llamar a sus maridos y a sus hijos, simplemente para decirles que están en el tráfico, o en el supermercado. Con la María José se habla muy poco por teléfono. Pero ahora que estoy en la toma me llama un par de veces al día. A mediodía, cuando llega del trabajo a la casa para el almuerzo. Y en la noche, antes de sentarse a la mesa a comer. Más que por saber cómo estoy yo, más que por ser una madre preocupada por la integridad física y mental de su hijo, yo creo que llama para ver cómo van las cosas aquí dentro. La escucho y suena emocionada, como si gracias a lo que le cuento pudiera volver a ser joven y a andar con sus revueltas estudiantiles. Claro que no le cuento demasiado. Yo no soy hablador, y con la María José, mucho menos. Si fuera mi hermana chica la que estuviera aquí, le contaría hasta el más mínimo detalle. Pero yo no. Cuando colgamos, y me doy cuenta de que se quedó con ganas de saber más, y que yo no le he proporcionado eso que la haría feliz, me siento un poco miserable. Pienso entonces que cuando todo acabe, le enseñaré este cuaderno. Y lo leeremos juntos y reviviremos cada uno de estos días. Inmediatamente me arrepiento, como es de suponer.

María José llamó esta vez para decirme que me había abonado una plata para que pudiera hacer llamadas.

—¿Y cómo lo hiciste? —pregunté ciertamente admirado, porque mi mamá es una inútil con la tecnología. Yo leo las instrucciones de su celular, le anoto los números en la agenda, le elijo los *ringtones*, mientras ella refunfuña que los celulares deberían ser solo para llamar por teléfono y no para mil cosas distintas.

—¿Yo? —y lanzó una carcajada. Me encanta cuando la María José se ríe, y por suerte lo hace a menudo—. Le di cinco mil pesos a la Javi y ella se encargó. Espero que sea suficiente.

Yo me reí por dentro. Normalmente con cinco mil pesos tendría como para un mes.

—Gracias. Me viene súper bien —le dije.

—¿Y cómo está todo por allí? Con tu papá estamos pegados a las noticias. Siento que hay apoyo a los estudiantes. Un gran apoyo. Es que lo de la educación era un hoyo negro que nadie quería ver, Nicolás. Y es maravilloso escuchar a los dirigentes, unos niños, diciendo verdades a todo el país —hablaba emocionada—. Pero, ya sabes, algunos se asustan. Hoy llamó el director. ¡Que ya no están de acuerdo con la toma! ¡Que están avisando a todos los padres para que tomemos medidas!

—De eso estábamos hablando ahora en la asamblea.

—Mira, porque me contuve, pero me parece un cobarde.

—Ojalá no le hayas gritado.

—Tranquilo. Me porté bien. Y... ¿qué van a hacer?

—Nada. Supongo que ahora vamos a votar si seguimos o no.

—Entonces no te quito más tiempo. Ve a votar.

—Bueno. Y gracias de nuevo por lo del teléfono.

—Nada. Y, Nicolás... cuídate mucho.

Al colgar, bajé y me acerqué hasta la sala de reuniones. Estaban votando. Valentín preguntó quién estaba de acuerdo. La mitad de las manos se alzaron. Luego otras más, incluida la mía. Valentín contó veintiséis manos alzadas. Mayoría para la propuesta del Centro de Alumnos. Varios gritaron: "¡Seguimos, seguimos!". La toma no se acababa.

Intenté localizar a Paula entre la gente que salía de la sala. Pero no estaba. Tampoco la vi en la cocina, donde los encargados del turno de la noche estaban preparando la cena (unas latas de atún con tallarines). Yo me sentía cansado. No tenía ganas de comer. Mucho menos de hablar con nadie. Rafa me llamó y me dijo que mejor iría al colegio al día siguiente. Su mamá no estaba de humor. Al fondo podía escuchar el llanto del hermano chico de Rafa. Le dije que no se preocupara.

Me fui a la Sala 6, dormitorio del Mangueras y mío, como ya se sabe. Estaba vacío y a oscuras. Abajo, en el patio, comenzaron a sonar unos tambores y unos bongós con los que un grupo de tercero medio amenizaba las veladas. No quería encender la luz, así que me quedé a oscuras, intentando dormir.

SEGU'

EGUIMOS

IMOS en T

T

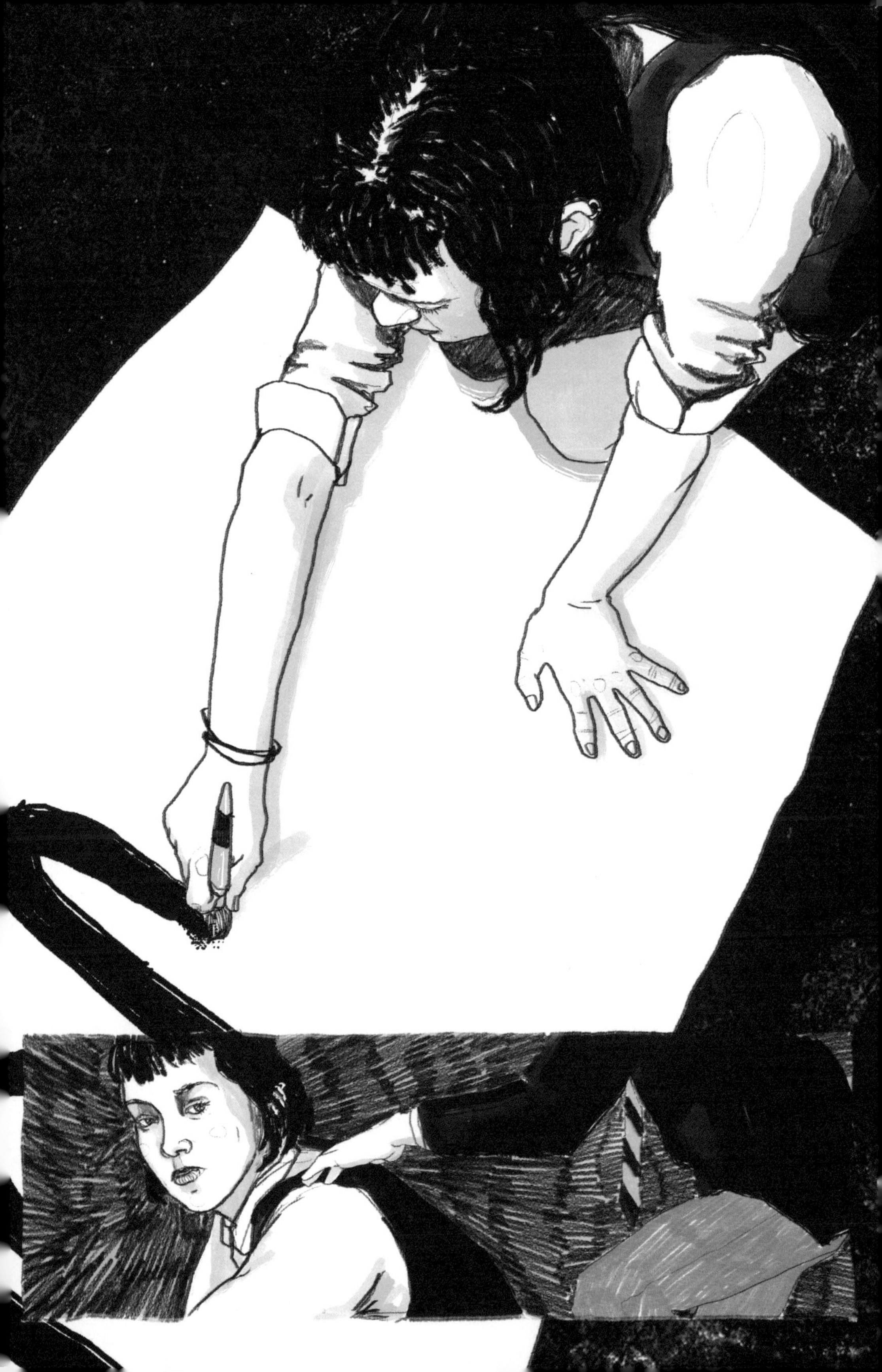

SEGUIMO

en TOMA

Domingo
QUINTO DÍA EN TOMA

En el desayuno me encontré con Paula. Pero ella apenas me miró. Me senté a su lado con mi café aguachento y mi bol de avena, esperando que me dijera qué le pasaba y por qué había desaparecido la noche anterior. Paula estaba enojada. Me dijo que mi idea de filtrar la carta había sido una tontería. Que no entendía cómo me había hecho caso cuando ella siempre actuaba de frente, con las cosas por delante. Que lo que habíamos hecho estaba muy mal. No eran tiempos para dividir a la gente ni para crear rencillas. Y en el fondo, eso era lo que habíamos intentado hacer.

En la cocina solo estábamos ella y yo. De pronto ya no parecía enojada, solo triste. Yo solo pude encogerme de hombros. Tampoco me parecía algo tan importante. La toma seguía. Y que el Mangueras hubiera publicado la carta de la Dirección en el blog solo había servido para que Valentín quedara como un gran líder.

—Anoche le pedí disculpas a Valentín —me dijo sin mirarme.

—¡¿Cómo?!

—Sí. Y lo entendió. Ni siquiera estaba enojado... solo desilusionado. Creo que tú también deberías disculparte.

No podía creer lo que escuchaba.

—No tengo por qué pedir perdón.

—Ustedes los del fútbol son demasiado orgullosos, claro. Imposible que pidan perdón a nadie.

—¿Qué tiene que ver mi equipo de fútbol con esto? —ahora yo era el que estaba comenzando a enfurecerme.

—Justamente por el fútbol deberías saber que hay que trabajar en equipo y estar unidos. Y lo que hicimos ayer, no fue precisamente eso.

—¿Hubieras preferido que la gente se quedara sin saber lo de la carta?

Paula sacudió la cabeza con rabia. Intentaba calmarse.

—Siempre hay roces y discusiones en estas situaciones. Valentín me pidió tiempo para pensarlo y yo no se lo di. Eso está mal. Porque es el director del Centro, te guste o no. Y yo lo traicioné.

—No fue una traición. Él era el que estaba traicionando a todos al ocultar la carta.

—Actuamos por nuestra cuenta, Nicolás. Y no se puede ir de anarquista si queremos que la toma funcione y que el gobierno escuche nuestras peticiones.

—¡El gobierno! ¿Crees que al gobierno le importamos nosotros? ¿Un colegio privado que está bastante bien, con buena infraestructura y buenos profesores? ¿Qué tiene que hacer el gobierno aquí?

—Tú lo has dicho. Lo hacemos por esos otros institutos y liceos que no tienen lo que tenemos nosotros. Pensé que lo entendías cuando te quedaste en la toma. Pero ahora me doy cuenta de que a ti solo te importa que tu equipo esté bien: uniformes nuevos cada temporada, buenos zapatos, buenas pelotas. ¿Qué más da cómo estén los equipos contrarios? Mejor si llegan al partido mal alimentados y peor entrenados. Así nos aseguramos de ganar siempre.

—¿Podrías dejar de meter el fútbol en esto? —me di cuenta de que estaba gritando, de que había alzado la voz hacía rato.

Paula se levantó de la silla y recogió su bol y su taza de café. A la cocina habían entrado Petrosi y la Tini. Nos miraban de reojo, muy callados.

—El fútbol es solo una metáfora. Pero veo que no entiendes muchas cosas —soltó Paula antes de marcharse muy erguida.

La rabia me subía por la garganta. Era un sabor agrio, desagradable. Sentía la cara ardiendo. Tenía ganas de patear la mesa y las sillas y todas las ollas y los platos de la cocina. Así que ni siquiera recogí el desayuno y me fui caminando muy apurado al gimnasio. Antes de estallar.

Cincuenta flexiones. Cien abdominales. Ochenta sentadillas. Barras. De nuevo abdominales. Más flexiones. El sudor me corría por la espalda y por el pecho. Los brazos comenzaron a dolerme.

Pero no podía parar. Tomé unas mancuernas. Mis bíceps estaban cada vez más calientes. Me sentía como un idiota. ¿Cómo podía creer Paula que no me importaba que otros colegios tuvieran mala educación, que sus alumnos no pudieran pagar la autobús ni les alcanzara para comprar una mísera merienda? Otros veinte abdominales. ¿Qué sabía Paula, en realidad, de esos pobres estudiantes con los que se llenaba la boca? Acababa de llegar de Francia con sus ínfulas de revolucionaria. Yo había compartido vestuario y cancha con todo tipo de alumnos y en todo tipo de ambientes. En Santiago y en regiones. A veces en unas canchas que no merecían ese nombre. Terrenos baldíos en los que la tierra y el polvo se te apelmazan en la piel y te nublan la vista. En arcos que se caían a pedazos. Y, al contrario de lo que creía Paula, los jugadores de los colegios más pobres eran los más feroces, los contrincantes más difíciles.

Me senté un rato sobre la colchoneta para calmar mi respiración. En realidad, ¿cuánto me importaba la protesta? ¿qué tenía yo que ver con todo este lío? Nunca me había leído la famosa LOCE, la Ley de Educación que todos querían echar abajo y que era el blanco de todas las quejas. Sabía unas cuantas cosas, escuchadas primero en las comidas en mi casa y luego en las asambleas del colegio. Era una ley heredada de la dictadura. Una ley que premiaba a los colegios más ricos y que desfavorecía a los de menores recursos. Alguien había dicho que a la LOCE había que ponerla en un museo del horror. La protesta pedía solo cosas justas: raciones alimenticias, mejores infraestructuras, mejores profesores, gratuidad en las pruebas para entrar a la Universidad y también pase escolar. Nada que necesitáramos ninguno de nosotros. Pero eso no significaba que no me importara, como creía Paula, y que no me parecieran completamente justas las peticiones.

Solo que, ¿hasta dónde llegaba mi compromiso?

Estos días eran los primeros de mi vida en los que, supuestamente, estaba haciendo algo por los demás.

Simplemente con estar allí encerrado en el colegio. Sin mis amigos. Durmiendo mal. Comiendo peor y soportando los discursos de una niña creída y con un humor muy cambiante.

Me levanté de la colchoneta de un salto. Cualquier ruido en el gimnasio vacío producía un eco distante, un ruido inusual porque era un lugar que siempre había conocido lleno de gente. Miré la hora en el antiguo reloj redondo de la pared. Eran pasadas las diez y aún no había hablado con Valentín acerca de Rafa. Suspiré. Me sequé el sudor con la camiseta y me mojé la cara y la cabeza en el bebedero de agua. Bueno, en algún momento había que ir a hablar con nuestro líder.

Lo busqué primero en la sala de computación. Por las mañanas, muchos del Centro de Alumnos están allí leyendo los periódicos por Internet y enterándose de cómo van las movilizaciones y las tomas en el resto de los colegios y liceos. Solo divisé a Mellado, al que llaman el ideólogo del Centro de Alumnos. Se cruzó conmigo en la puerta. Cruzarse con él, más que cruzarse, es ser detenido por su inmensa mole corporal. Le pregunté si sabía dónde estaba Valentín. El Gordo Mellado es un tipo gordo, obvio, alto y desgarbado, que siempre va con una mochila llena de libros, diarios y panfletos. Antes, mis amigos y yo apenas reparábamos en él, negado como es para cualquier deporte. Para nosotros simplemente se trataba del típico marginado de la clase, ese que se sienta en las últimas filas con los audífonos puestos, leyendo un mamotreto de filosofía sobre el que nadie le va a preguntar; un solitario que pasa por el colegio con resignación y estoicismo. Ahora, me ha sorprendido. Está enterado de todo lo que sucede en la política estudiantil, y también en la política nacional y en la mundial. Maneja datos y cifras con una facilidad asombrosa, tiene memoria de elefante y es capaz de rebatir cualquier argumento de una manera sólida a la vez que sosegada.

Bueno, aún no he contado quiénes forman la Directiva del Centro de Alumnos. Además de Valentín y Mellado, está Aldo, el heredero del casino que tanto codiciamos. Es el secretario ejecutivo del Centro y, lejos, el más servicial con Valentín. Le sigue a todas partes, le hace los recados, y creo que si pudiera le plancharía las camisas. Tal vez lo haga, porque es increíble pero Valentín nunca aparece con las camisas ni los pantalones arrugados, como todos los demás, sino siempre limpio, planchado y con su corbata del uniforme bien puesta.

En la Directiva, la segunda en importancia es Flavia Correa, la vicepresidenta. Ella es, indiscutiblemente, una de las 'impecables' de las que tanto hablan Fernando y Domingo. Tal vez la más. Tiene un cuerpo de mujer de veinte años, el pelo rizado y largo y está rica, tengo que confesar. Cuando Valentín la invitó a participar en la Directiva, sin duda anotó un golazo. Porque Flavia no es la típica linda-tonta. Y arrastra a las masas, sea por su buen culo o por su mal carácter. Flavia Correa (todos la llamamos siempre por su nombre y apellido) es el sueño del pibe. Algunos dicen que está esperando cualquier descuido para convertirse en la presidenta. Otros aseguran que no hace prácticamente nada más que arengar en las asambleas y dejarles el trabajo sucio a los demás. Yo no tengo idea. Solo sé que Flavia Correa odia a los futbolistas. Nos odia sobre todo a Fernando, a Rafa y a mí. Domingo, el más diplomático y simpático de los cuatro, es el único de nosotros con el que se digna a hablar. Fernando le preguntó una vez qué le pasaba a Flavia Correa con los del equipo de fútbol. Domingo encogió los hombros. "Dice que somos muy poco interesantes", nos contestó poniendo los ojos en blanco.

Luego está Clara, una rubia de tercero que es la secretaria de finanzas, y ha hecho piruetas y maniobras muy inteligentes para lograr que la toma sea lo más eficiente posible en términos de abastecimiento. No es que haya muchas finanzas que manejar, pero ella ha conseguido que algunos almacenes de la calle nos regalen cajas de leche y marraquetas gratis. También consiguió velas por si nos cortan la luz. Clara es bajita, rápida y eficiente.

No es muy simpática ni divertida, pero cumple con todo lo que se propone sin quejarse. Y sabe organizar a la gente sin que nadie sienta que lo están mandando. Como habrán deducido, Clara me cae bien.

La Directiva se completa con Paula, que es vocal, y con dos de segundo, cuyos nombres nunca recuerdo y que son los enlaces con los delegados de curso. Los delegados de curso en la toma están a cargo de organizar las diversas tareas: la limpieza, la cocina (Petrosi y la Tini son los delegados de sus respectivas clases, por ejemplo), la enfermería, el abastecimiento, la prensa y comunicaciones, y lo que les ha dado por llamar "la seguridad". Esto último corre a cargo del Rata, un grandote de cuarto medio que siempre ha querido ser policía y que ahora no cabe en sí de felicidad teniendo a cargo un puñado de cabros que forman su "cuerpo de seguridad, vigilancia y orden" y a los que suele reunir en el campo de fútbol. Eran esos los que estaban en la puerta y no dejaron entrar a Domingo, Fernando y Rafa.

En esta toma todos parecen tener un título, un cargo y una labor.

Menos yo.

Así que, como iba diciendo antes de este paréntesis descriptivo y con un breve toque final de autoconmiseración, me cruzo con el Gordo Mellado en la puerta de la sala de computación.

Supongo que se fija en mi respiración agitada y en la cara de rabia que llevo, porque me toma por el hombro con una de sus manazas y me pregunta:

—¿Todo bien, compadre?

Yo le digo que por supuesto. Pero él no me suelta y me propone ir a dar una vuelta.

—Ven, vamos a dar una vuelta —dice, como si fuera posible irse de paseo encerrados en estos muros como estamos—. Vamos a tomar un poco de aire fresco.

En el camino comienzo a sentirme incómodo. Seguramente quiere averiguar, como todos, qué es lo que hace un tipo como yo en la toma. Y pienso que va a comenzar a preguntarme cosas. Cosas como que qué pienso de la movilización estudiantil. Que por dónde van mis tendencias políticas. O a qué profundidad se sitúan mis convicciones.

Pero el Gordo Mellado no pregunta nada sino que me lleva directo hacia la biblioteca y se interna por uno de los oscuros pasillos diciendo que tiene algo que mostrarme.

—Lo encontré el otro día. Estaba por aquí, estoy seguro —grita desde el fondo—. Es que estoy haciendo una investigación sobre la historia de las movilizaciones estudiantiles en Chile y me topé con un libro curioso...

Lo escucho trajinar entre las estanterías.

—Te digo una cosa —dice con su voz calmada—. Yo soy fan número uno de Internet pero, como recién nacida que es, tenemos que tomar en cuenta que tiene una memoria muy cortita. Creemos que TODO está en Internet y no es así. Hay un montón de cosas que siguen estando solo en las bibliotecas. ¡Aquí está!

Sale con un libro en la mano. Nos sentamos en una de las mesas y me lo pasa abierto en una página del medio. Tardo un rato en darme cuenta.

—¿Son tus viejos, verdad? —pregunta Mellado ansioso.

En la página izquierda hay una foto en colores deslavados. Seis adolescentes enarbolan una pancarta. Sí, me cuesta reconocerlos. Pero allí están María José y Ernesto, muy chicos, tan felices, tan seguros, tan resueltos. María José lleva el jumper azul de los estudiantes secundarios. A su lado hay otro pingüino con ojos achinados y pelo muy negro. Es guapo y flaco y sonríe a la cámara. He visto fotos suyas en los álbumes de María José. Sé quién es: Rodrigo, su mejor amigo del colegio. En la foto, más atrás, medio escondido, también está el Tío Carlitos, que no es mi tío en realidad pero siempre lo hemos llamado así. Ellos tres eran los mejores amigos. El trío que se escapaba de clases para ir a todas las marchas y a todas las protestas.

—Año 85. Toma de la Facultad de Medicina —enuncia Mellado—. Las movilizaciones estudiantiles contra Pinochet están en su cénit. ¿El saldo? 42 estudiantes muertos, miles de expulsados.

—¿Cómo sabías que eran mis viejos? —cierro el libro y miro la portada. Es una publicación universitaria con un diseño muy serio: *Nuestros estudiantes, nuestras víctimas*, reza el título.

Mellado toma el libro y pasa las páginas, hasta el final. Me muestra una foto de grupo, mucho más actual, en la que salen unas veinte personas, de pie y alineadas como en las fotografías de fin de año. Al costado izquierdo, en la segunda fila, están mis papás, bastante parecidos a como están hoy en día.

—Los he visto aquí en el colegio, no es difícil reconocerlos. Además en el libro salen sus testimonios y sus nombres, tus apellidos —Mellado me invita a hojearlo—. Es un libro conmemorativo que sacó la Universidad de Chile. Para homenajear a los estudiantes desaparecidos y asesinados en la dictadura. No es un libro especialmente bueno ni bien escrito, pero está bien como memoria histórica. Hacen falta este tipo de cosas.

—No sabía nada de este libro...

—¿Tu vieja estudió aquí, verdad? —pregunta Mellado.

Sí, María José es exalumna de este colegio.

—En el libro tu mamá dice que se habla poco de la participación de los secundarios en las protestas de los ochenta, pero que fueron miles los que estuvieron dando la pelea.

—El que sale en la foto con mi mamá se llamaba Rodrigo. Era su compañero de clase. Después de una protesta, nunca más volvió —tomo el libro, vuelvo a la foto de los años ochenta y le indico un rostro—. Y este de aquí es Carlitos López. También estudiaba aquí.

A Mellado se le iluminan los ojos.

—Así que eran tres los de nuestro colegio, ¡tres!... Tu mamá cuenta de la desaparición de Rodrigo en el libro. Tras la toma de la Facultad, no se supo nada más de él... Pero no sale ningún Carlos, ¿quién es?

—Al Tío Carlitos no le gusta ver a nadie. Es un ermitaño.

—Pero tú lo conoces.

Pienso en el Tío Carlitos. Claro que lo conozco. Lo he visto cientos de veces ir a tomar café a casa, a comer, a pasar la tarde del domingo. Desde que tengo recuerdo ha estado allí, entrando y saliendo, silencioso, solitario, con el cigarro en la boca y vestido de negro de pies a cabeza. Pero no sé realmente cómo es, o por qué nunca se casó, ni con quién vive. Es un amigo de mis padres, nada más. Que quedó traumatizado con la desaparición de Rodrigo lo he escuchado tantas veces que es algo igual de habitual que sus camisetas de cuello alto o su roñosa chaqueta de cuero.

—Tu mamá también cuenta en el libro que, en esa época, les daba clases una profesora bastante valiente que al parecer les abrió la cabeza a sus alumnos y les habló de lo que realmente sucedía en el país. Algo me hizo clic cuando leí eso. ¿Por qué nadie nos ha contado de esa profesora? Nadie habla de ella. Pude averiguar que se llamaba Luisa Garretón. Y sé que renunció a su cargo en el colegio a principios del 86. O la echaron. Algo pasó que la hizo irse, dejar la enseñanza. Y estoy seguro de que tuvo que ver con lo de Rodrigo. Después, no hay más rastro de ella.

—¿Por qué me muestras esto?

—No sé. Pensé que podía interesarte. Mucha gente aquí cree

que es la primera vez que este colegio se rebela contra el sistema, que por primera vez se levanta y reclama. Pero no es así. Míralos. Tres estudiantes de este colegio que se lanzaron a la calle en los ochenta. Y nadie lo recuerda.

—En serio, ¿por qué me muestras esto a mí?

—Porque puedes ser el enlace entre el pasado y el presente de las movilizaciones de este colegio. ¿Ves como no es casual que te hayas quedado en la toma? —el Gordo Mellado suelta una carcajada simpática, como riéndose de su ocurrencia, y se queda en silencio un momento. Después de unos segundos en que nos quedamos mirando fijamente, por fin dice—: Yo sé muy bien lo que es sentirse el raro del grupo. No es una posición especialmente cómoda. Pero sirve para armarse de un buen punto de vista. Y eso hay que aprovecharlo.

No sé si lo he aprovechado mucho, pienso.

—Tal vez tu mamá sepa algo sobre qué pasó con la profesora, Luisa Garretón. Podrías presentármela cuando salgamos de esta, me gustaría mucho hablar con ella. Y también con Carlos López.

Le digo que claro, sé que mi mamá va a estar feliz de conversar con él. Pero que Carlitos seguro se negará a conocerlo.

—¿Estabas buscando a Valentín? —me pregunta levantándose para poner el libro de nuevo en su lugar.

Le cuento que mi amigo Rafa quiere sumarse a la toma y que al parecer Valentín debe dar permiso para que pueda entrar.

—Lo encontrarás en la Base Uno.

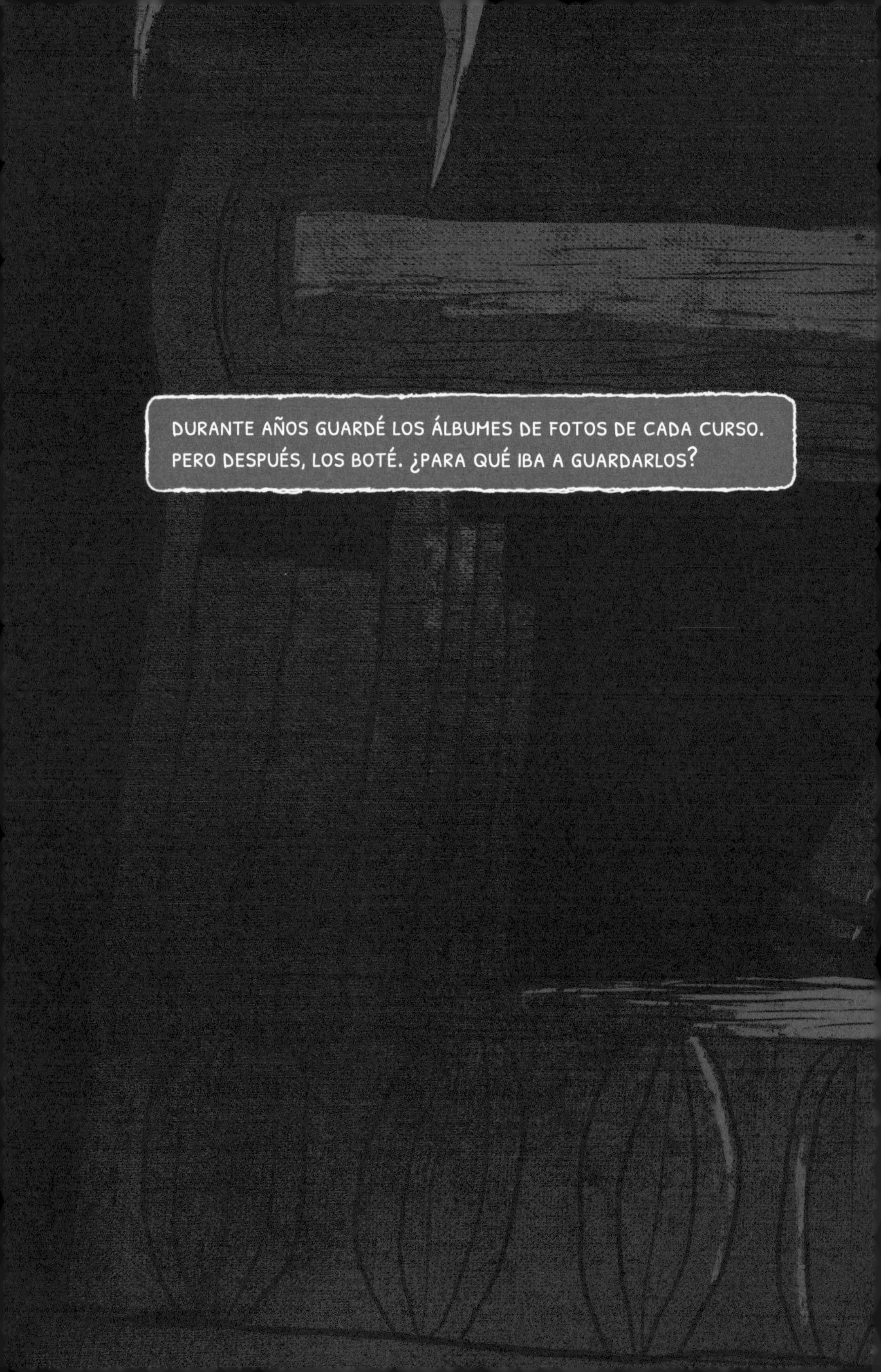
DURANTE AÑOS GUARDÉ LOS ÁLBUMES DE FOTOS DE CADA CURSO.
PERO DESPUÉS, LOS BOTÉ. ¿PARA QUÉ IBA A GUARDARLOS?

SOLO CONSERVO ESTE. DE ESTE NO PUEDO DESHACERME.

PHOTO
1985
ALBUM

Profesora Luisa Garretón

4to medio - 1985-

María José Altamirano

Carlos López

Rodrigo Valdivia

La Base Uno estaba cerrada así que toqué primero y abrí sin esperar respuesta. Valentín estaba sentado en la cabecera de la mesa de reuniones de los profesores. A su izquierda, Aldo, cómo no. Y a la derecha, Flavia Correa, que me echó su consabida mirada de desprecio antes de abrir la boca:

—¿Por qué no tocas antes de entrar?

—Golpeé primero. Es que necesito hablar con Valentín.

—¿Por lo de la carta? —preguntó Valentín y me hizo un gesto para que me sentara—. No te preocupes.

—No. No es por eso —el muy gil pensaba que venía a pedirle disculpas—. Es que Rafa quiere sumarse a la toma. Y necesito que le abran la puerta.

—¿Qué Rafa? —preguntó Flavia Correa con indiferencia, como si no supiera perfectamente quién es.

—Rafa, mi compañero, el centrocampista del equipo de fútbol.

Los tres se miraron unos segundos. Valentín tamborileaba un lápiz sobre la superficie de caoba de la mesa haciendo un ruido exasperante.

—Estuvo, parece que estuvo —dijo finalmente.

—¿Cuándo?

—Hace un rato. Como a las nueve y media, creo.

—¿Y dónde está?

—Es que no lo dejamos entrar, por supuesto —contestó Flavia Correa, soberbia.

Mi cara debe haber cambiado por completo. Debo haberme

enrojecido, como me sucede cuando estoy a punto de estallar, porque Valentín miró a Flavia Correa ordenando que se callara e hizo un gesto con la mano como para tranquilizarme.

—Nicolás, me dijeron que Rafa llegó completamente volado a la puerta. En esas condiciones era imposible que lo dejáramos entrar. Ya sabes perfectamente que la primera norma de la toma es la ley seca.

—Se llama 'ley lúcida' —lo corrigió Flavia Correa, encantada de poder vengarse de Valentín por haberla callado.

Valentín ni pestañeó. Yo me levanté de la silla. Tenía ganas de pegarle a alguien. Cuando por fin pude hablar, la voz me salió a trompicones:

—Eso es imposible. Rafa jamás ha fumado un pito.

Valentín se levantó a su vez de la silla, como si diera por terminada nuestra conversación.

—Pregunta en la puerta si quieres —Valentín recogió un cuaderno de notas y se metió el lápiz en el bolsillo del pantalón—. Lo siento, Nicolás. Hubiera sido un buen fichaje tenerlo dentro. Si hablas con él explícale las reglas de la toma para que no vuelva a ocurrir.

El miércoles, tras su discurso, el Cachorro Salazar le pasó a Valentín una hojita con siete reglas que debían cumplirse en las tomas de los colegios. El propio Valentín las leyó en voz alta y Aldo pegó la hoja en la pizarra de la sala de reuniones, donde todavía está:

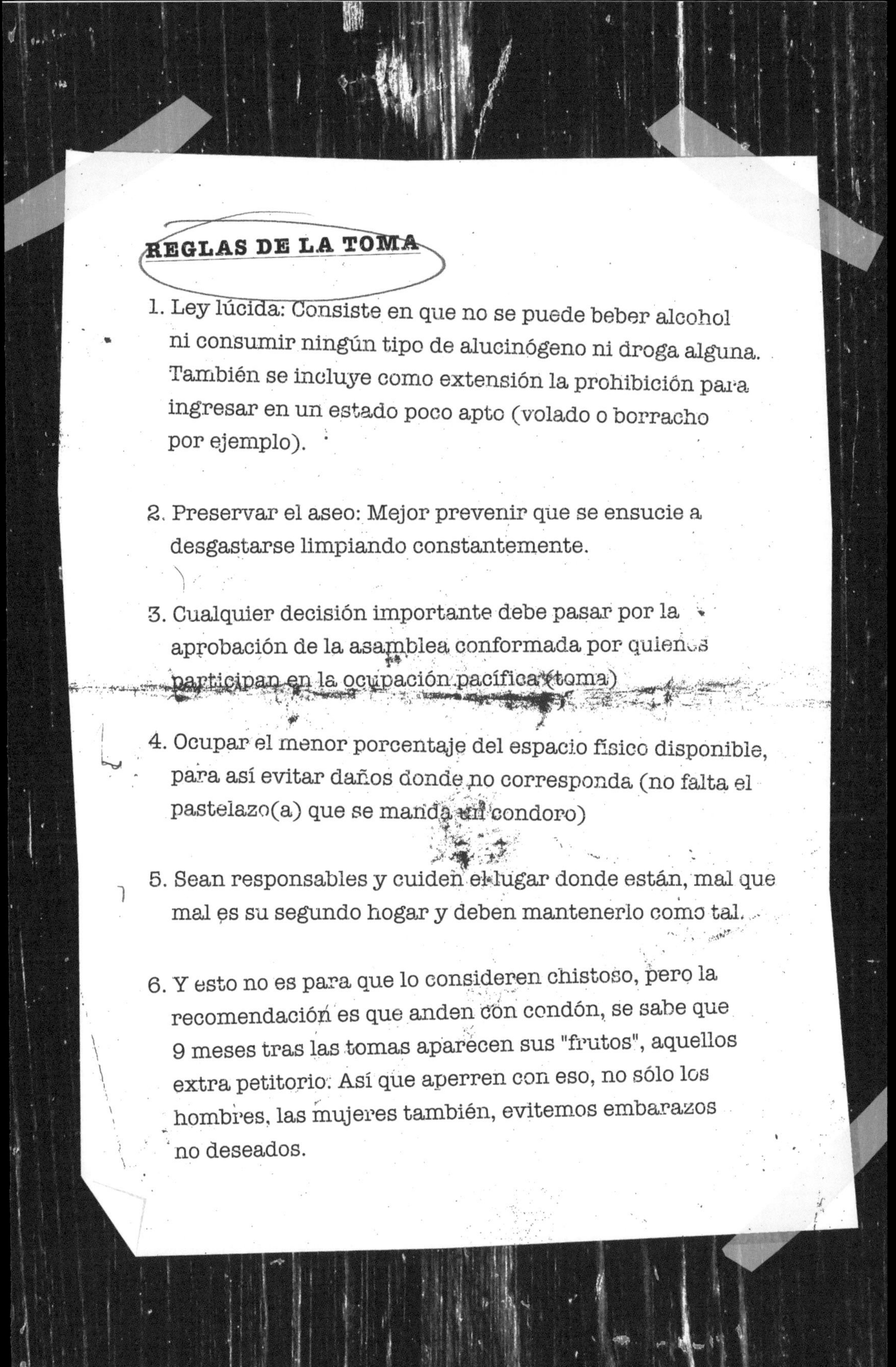

REGLAS DE LA TOMA

1. Ley lúcida: Consiste en que no se puede beber alcohol ni consumir ningún tipo de alucinógeno ni droga alguna. También se incluye como extensión la prohibición para ingresar en un estado poco apto (volado o borracho por ejemplo).

2. Preservar el aseo: Mejor prevenir que se ensucie a desgastarse limpiando constantemente.

3. Cualquier decisión importante debe pasar por la aprobación de la asamblea conformada por quienes participan en la ocupación pacífica (toma)

4. Ocupar el menor porcentaje del espacio físico disponible, para así evitar daños donde no corresponda (no falta el pastelazo(a) que se manda un condoro)

5. Sean responsables y cuiden el lugar donde están, mal que mal es su segundo hogar y deben mantenerlo como tal.

6. Y esto no es para que lo consideren chistoso, pero la recomendación es que anden con condón, se sabe que 9 meses tras las tomas aparecen sus "frutos", aquellos extra petitorio. Así que aperren con eso, no sólo los hombres, las mujeres también, evitemos embarazos no deseados.

Cuando Valentín leyó la sexta y última norma, todos comenzaron a reírse muy nerviosos. No es que seamos unos retrasados, pero tal vez no somos tan precoces. Que yo supiera, nadie era capaz de tener sexo como tal dentro del colegio. Y la mayoría, ni siquiera fuera de él.

El Cachorro Salazar, ante esa audiencia inquieta e infantil, se dio por satisfecho: éramos tal como nos había imaginado, unos pendejos que ni siquiera tirábamos. Y salió todo inflado del colegio, siempre seguido por Valentín y por Aldo.

—¿Esto es una venganza por lo de la carta? —le pregunté a Valentín, aún con la voz apretada. Valentín ya estaba cerca de la puerta de la sala de profesores, a punto de irse.

—Lamento que te lo tomes así. Solo estamos siguiendo las normas.

De pronto, se escuchó un griterío proveniente del pasillo y no pude decir lo que iba a decir. No sé qué era, tal vez no era algo para decir sino solo algo para hacer: agarrar a Valentín por las mangas y zamarrearlo un poco.

Sonaban golpes y gritos, cada vez más fuertes. Los cuatro, Valentín, Aldo, Flavia Correa y yo, salimos corriendo hacia la puerta del colegio, que era de donde provenía el escándalo.

Al llegar, un grupo de unos ocho estudiantes, todos de octavo y primero medio, estaban forcejeando con el portón que da a la calle y también con los del 'cuerpo de seguridad' del Rata que vigilaban la entrada. El propio Rata acababa de llegar corriendo, seguro que feliz de poder poner en práctica sus métodos de orden y vigilancia. Entre los estudiantes chicos estaba el Barracuda, pegándose con uno de los de seguridad.

Valentín tuvo que gritar varias veces hasta que se detuvo la pelea.

—¿Qué pasa aquí?

Por fin todos se callan. Un alumno de los del cuerpo de seguridad es el primero en hablar:

— Todos estos pendex quieren salir del colegio.

—¿Quieren abandonar la toma? —pregunta Valentín con cara agria.

—Nos queremos ir a nuestras casas —alega el Barracuda desde la primera fila, vigilado de cerca por el Rata.

—Pero ayer votamos que la toma seguía. Se decidió democráticamente en la asamblea —Valentín ahora adopta un tono de voz autoritario—. ¿Por qué este cambio de actitud?

Se escuchan varios gritos de '¡cobardes!'. Provienen de los del cuerpo de seguridad.

—Nos queremos ir. ¡Tenemos derecho! —y las palabras del Barracuda despiertan varios 'vivas' entre los ocho estudiantes que quieren marcharse.

—Por supuesto, esto es una toma voluntaria y pacífica —Valentín tose un poco y el Rata suelta a un alumno que tiene agarrado por el cuello—. Pero saben que el que se quiere retirar tiene que decirlo en la asamblea general. Explicar sus razones e irse tranquilamente. No se puede escapar así, a escondidas. Hay que registrarse en el cuaderno de entradas y salidas.

—¡Queremos salir ahora que todavía es de día! —grita una niña de octavo básico.

—¿Por qué no podemos irnos cuando nos da la gana? —añade un compañero suyo.

Valentín intenta calmarlos pidiendo al Rata que saque su cuerpo de seguridad de en medio. Entonces Valentín, seguido de Aldo, se pone delante del portón. Flavia Correa observa todo desde lejos, con una mirada aburrida.

—Estamos en medio de un hecho histórico, algo que cambiará completamente el panorama escolar y la política del gobierno hacia todos los estudiantes. Se trata de pensar más allá de nosotros. De ver más allá. Pero si no quieren ser parte de esto, es cosa de ustedes —y Valentín saca un llavero de su bolsillo, abre el candado, empuña las manillas del portón y lo abre de par en par.

Afuera hay mucha luz. En la calle pasan algunos autos y alcanzo a divisar el kiosco de diarios y el mini market. Corre brisa y se levantan algunas hojas del suelo. Pasa una señora llevando a un perro y se detiene al ver un grupo de estudiantes salir en fila del colegio en toma. Los cabros no gritan. Se han quedado un poco apabullados con las últimas palabras de Valentín y se van silenciosos con sus mochilas al hombro y sus uniformes arrugados y sucios. Doy unos pasos hacia el portón. Toda la cuadra se ve más limpia de como la recordaba. Pasa una pareja en bicicleta.

Y un auto amarillo se para en el semáforo de la esquina. Los árboles de la calle me parecen más verdes y más frondosos. No he visto el mundo exterior en casi cinco días. Está más luminoso, brillante y lustroso que nunca. Me digo que basta caminar unos pasos más y cruzar la puerta para que todo esto se acabe. No tengo ninguna razón para seguir aquí. Paula me desprecia. A Rafa no lo dejaron entrar. Valentín me cae mal y detesto a Flavia Correa. Y los cabros más chicos están fuera, regresando a sus casas. Yo puedo hacer lo mismo. Salir y caminar las diez cuadras que me separan de mi casa en menos de un cuarto de hora. Mi habitación. Mis cosas. Mi ropa limpia. Calcetines y calzoncillos recién lavados. El refrigerador lleno de cosas ricas. Mis cómics. La Javi parloteando. Ernesto y yo viendo un partido juntos en la tele y pidiéndole a 'la Chica' que deje de alborotar. María José en el sofá leyendo el diario. Y también María José preguntándome por qué dejé la toma, por qué no resistí, por qué abandoné a mis compañeros. Y me acuerdo del cabello de Paula cuando sacude la cabeza, los mechones que le bailan en las mejillas. Entonces me doy la vuelta y me quedo.

LA EDUCACIÓN
no $E VENDE
¡se defien

LA
no
se

UCACIÓN
E VENDE
fiende!

LA EDUCACI
no $E Ven
¡se defiend

Domingo
(más tarde, por la tarde)

Después de que los cabros chicos se fueran de la toma, Valentín se encerró con su equipo en la Base Uno y estuvieron allí un largo par de horas. Aunque lo esperé un rato, me di cuenta de que no tenía sentido volver a hablar con Valentín acerca de la incorporación de Rafa a la toma. Ellos no lo querían dentro, era obvio. Habían decidido no dejarlo participar. ¿Por qué? No lo entendía, pero era así.

Me fui a la cocina, donde estaban todos los que no pertenecían a la Directiva del Centro de Alumnos, cuchicheando acerca de la desbandada de los pendejos chicos. Sin ellos, ahora solo quedábamos veintisiete estudiantes dentro del colegio. Los ocho que pertenecían al Centro de Estudiantes, en ese momento deliberaban mientras nosotros nos hacíamos cargo de las tristes provisiones que quedaban. Tallarines blancos con poca sal. Unas cuantas latas de arvejas. Nescafé aguado. Después de este almuerzo, solo tendremos galletas de soda, anunció Petrosi con mala cara.

Terminé de comer y me fui al patio a llamar a Rafa. Hacía un rato lo había intentado pero no había podido comunicarme.

—Rafa, soy yo, Nicolás.

—¡Hola! Estoy en la casa de nuevo. ¿Qué es lo que pasa en el colegio?

—¿Te explicaron por qué no te dejaron entrar?

—No. Ni siquiera abrieron la puerta.

—Dijeron que llegaste volado.

Rafa estuvo a punto de decir algo pero la risa le atragantó las palabras. Rafa nunca en su vida ha probado un pito. Y hacerlo no es algo que esté dentro de las probabilidades. Siempre le decimos que es un talibán con respecto al alcohol, el cigarro y todas las drogas en general. Pero si recuerdas que su padre es un alcohólico reincidente, lo dejas tranquilo.

—Ya sé —dije, riéndome yo también—. Ya sé que es una cosa completamente absurda. Están locos estos tipos.

—¿Por qué no te vas?

—Estuve a punto de irme esta mañana. Varios se fueron.

—¿Y entonces?

Me quedé callado. Rafa tampoco dijo nada. Permanecimos en silencio un largo rato, gastando los minutos del celular.

—No sé, Rafa. En serio que no sé por qué sigo aquí.

—Bueno. Avísame cualquier cosa. Yo estoy aquí si me necesitas.

NICOLÁS HA SUBIDO AL TECHO. ¿SABRÁ QUE HACE AÑOS OTROS DESCUBRIERON LA TRAMPILLA? ALLÍ SE REUNIERON, MÁS DE UNA VEZ, MARÍA JOSÉ, CARLITOS Y RODRIGO.

Quiero creer que nadie conoce este acceso al techo. Quiero pensar que he sido el primero y el único en descubrir la trampilla que hay al final de la escalera del segundo piso. Confío en que pocos tienen la fuerza y la habilidad para alzarse solo con los brazos y llegar hasta aquí arriba.

Desde el techo del colegio, la calle y la cuadra parecen otras. Desde aquí arriba ves las entrañas de las construcciones, los patios interiores en los que cuelga ropa tendida, las ventanas sucias de polvo, los destartalados techos de zinc. Y los muros grises por el smog, las paredes de cemento y de ladrillo que se abren a terrenos vacíos, allí donde han echado abajo las antiguas casas de adobe que poblaban la zona cuando yo era chico.

Poco más allá, distingo las copas de los árboles de la Alameda. Al norte de la avenida se juega la primera división de las movilizaciones. De este lado, al sur de la Alameda, estamos los segundones, la liga B. Allá los liceos pelean con la policía, reciben palos, lanzan bombas de pintura y viven la protesta cercados por las patrullas y las cámaras de los periodistas. Todo envuelto en las humaredas de los neumáticos en llamas y las bombas lacrimógenas.

Pero hoy es domingo y todo está tranquilo, vacío de gente y de autos. Las tiendas cerradas, la gente guardada en sus casas y Santiago convertida en una ciudad deshabitada y silenciosa.

Mi amigo Domingo siempre dice que Santiago apesta, que apenas termine la Universidad se irá a otro lado, a Europa, a Asia, a recorrer el mundo haciendo un programa de viajes que emitirá por Internet. Estoy seguro de que va a hacerlo; es de esa gente que siempre hace lo que se propone.

Corre un viento helado y tengo que subirme el cierre del polerón y meter las manos en los bolsillos. No me gusta nada el frío. Detesto el invierno. Yo prefiero mil veces Santiago en verano. A mí esta ciudad me gusta mucho en verano. Me gusta el sonido monótono y tranquilizador de los aspersores encendidos en las tardes, refrescando los parques y levantando un intenso olor a pasto húmedo.

Me deslizo con cuidado hasta el otro lado del techo, hasta que el patio del colegio se abre ante mí. Es el mismo patio de siempre pero lo estoy mirando con otros ojos. Ahora lo conozco de noche. Lo he visto vacío y silencioso como nunca. Y también con una fogata en medio, lleno de gente bailando y proyectando sombras en la pared del fondo. Estos cinco días viviendo en el colegio han logrado algo insólito: que yo lo mire de otra manera. Es el mismo colegio de siempre, en el que he estudiado desde preescolar, pero también es otro.

De pronto, en una de las ventanas del edificio contiguo al colegio algo se mueve fugazmente. En medio de la oscuridad creo ver una figura tras las cortinas pero, al volver a mirar, entrecerrando los ojos para enfocar mejor, ya no hay nada. Estoy seguro de que "la loca de los perros" ha estado observándome hace un buen rato.

¿ME VIO?

Desde que tengo memoria, desde que voy al colegio, 'la loca de los perros' ha estado allí, en esa casona de tres pisos, vieja, destartalada y sucia, rodeada de una reja alta, una de esas rejas que te ponen a dudar de si sirven para que nadie entre o para que los que están adentro no puedan salir. Las ventanas están tapadas con espesas cortinas color café. La dueña y única habitante de todo el caserón es una vieja chuñusca y malencarada. Vive sola, con siete perros huskys siberianos. Nadie ha visto que los saque nunca a pasear. Nadie la ve pasear a ella tampoco. Los perros casi siempre dormitan en el jardín abandonado. Ladran poco, pero incluso quietos y en calma son fieros guardianes.

Ella, en cambio, rara vez aparece. En todos estos años la he visto solo en contadas ocasiones. La primera vez, barría las escaleras de la entrada. Era más pequeña y delgada de lo que había imaginado. Iba vestida con unos pantalones verdes y una blusa de manga larga. Tenía el pelo lleno de canas, amarrado en un moño descuidado. Apenas le distinguí la cara porque tenía puestos unos grandes anteojos de sol. Otra tarde, cuando salía del colegio después de un entrenamiento, ella estaba parada en la puerta del edificio, a unos metros de la reja de su casa, contemplando la calle de una manera extraña, casi sorprendida, como si la calle hubiera aparecido en ese instante frente a ella. Llevaba un vestido gris, un chaleco rojo y un chal negro sobre los hombros. En los pies tenía puestas unas pantuflas peludas, como hechas de piel de conejo.

Cuando éramos chicos siempre nos daba miedo caminar por la vereda de la vieja bruja, pasar cerca de aquella reja permanentemente vigilada por los perros. No se nos ocurría acercarnos al edificio de 'la loca'. Y yo menos que nadie. Aunque intento disimularlo, les tengo un miedo incontrolable a los perros.

De más grandes, alguna vez hicimos apuestas a ver quién se atrevía, primero a tocar el timbre, o dar golpes en la reja para enfurecer a los siberianos que ladraban frenéticos y comenzaban a babear una espuma muy blanca que se juntaba entre los colmillos afiladísimos. Nunca apostamos quién era capaz de saltar la reja y entrar. Sabíamos que ninguno se hubiera atrevido.

Al bajar de mi escondite en el techo pasé por mi dormitorio, la ya entrañable Sala 6, porque quería acostarme un rato, pero de abajo comenzaron a escucharse gritos. Alguien desde la calle golpeaba la puerta de entrada del colegio y pedía que abrieran. Por un segundo pensé que los que armaban el alboroto eran los cabros chicos arrepentidos de haberse ido, y bajé corriendo las escaleras.

—Abran, por favor. Los pacos. Los pacos. ¡Ayuda! ¡Ayuda!

Alrededor de la puerta ya estaban casi todos, varios mirando a Valentín, esperando una orden, un gesto, pero fue Flavia Correa la que caminó dando empujones, sacó el candado y abrió lentamente.

Primero vimos una mano que se aferraba a la puerta de metal, luego una cara blanca, asustada, enmarcada en un abundante pelo negro enrulado. Era un estudiante, muy flaco y con la ropa desordenada. Alrededor de la nariz se le había formado una costra de sangre reseca. En el polerón también había manchas de color rojo. Respiraba con dificultad, como si hubiera corrido muchas cuadras.

—Los pacos, los pacos —repetía el estudiante.

Flavia Correa obligó a la gente que lo rodeaba a apartarse.

—¡Dejen pasar! —gritó.

Escoltado por Valentín y por Flavia Correa, el desconocido se dejó conducir hasta la puerta de la enfermería. Las dos compañeras 'enfermeras' lo recibieron y lo sentaron. Comenzaron a limpiarlo con algodón y alcohol. No nos dejaron entrar pero muchos mirábamos desde la puerta. Otros se subieron a unos pupitres para no perderse nada y observar el interior desde las ventanas altas que daban al pasillo.

—¿Quieres contarnos qué te pasó? —Valentín le hablaba suavemente.

—Vengo de allá —dijo el estudiante con voz gangosa, seguramente porque nuestras solícitas enfermeras le taponaban la nariz con algodones, e indicó vagamente con la mano—. Los policías nos dieron fuerte. Palos. Patadas. De todo.

—¿Dónde? —preguntó Valentín ansioso.

El estudiante desconocido apartó a las enfermeras, un poco molesto, y se levantó. Se planchó la ropa con las manos y luego le extendió una de ellas a Valentín.

—Me llamo Enei. De la toma del Aplicación —Valentín le alargó la mano y Enei se la estrechó con firmeza—. Habíamos salido a recolectar dinero para comprar comida. Llevábamos un rato en la calle cuando llegaron dos autos de los que se bajaron un montón de tiras. Cuando intentamos volver a entrar al liceo, no nos dejaron llegar a la puerta. ¡Nos querían llevar detenidos! Y hubo pelea.

—¿Hoy domingo?

—Los tiras no descansan...

Valentín miró a Flavia Correa y esta asintió.

—Tienes que quedarte aquí con nosotros.

De pronto, Enei miró al techo, los ojos se le pusieron en blanco y se desmayó.

Tal cual.

Se desparramó entre la gente que lo rodeaba, como en cámara lenta, hasta quedar tendido en el suelo, tan largo y flaco como era.

Yo nunca había visto a alguien desmayarse. Supongo que muchos de los que estábamos allí nunca habíamos visto a nadie desmayarse porque la confusión de voces, movimientos torpes, incluso gritos histéricos, duró varios segundos y no sirvió para ayudar en nada al desvanecido. Fue, de nuevo, Flavia Correa la que impuso la calma. Ordenó silencio y alejó bruscamente a los que merodeaban en torno a Enei. Varios dijeron que había que llamar a una ambulancia, a los pacos, al director del colegio o a los papás. Flavia de nuevo ordenó que todos callaran. Se arrodilló junto a Enei y le palpó el cuello y las sienes. Le desabrochó dos botones de la camisa y puso su mano, su mano pequeña y de uñas perfectamente limadas y pintadas de azul, sobre el corazón evidentemente palpitante del recién llegado.

—Vive —dijo dramáticamente.

En el pecho de Enei, lampiño y desnudo, colgaba una cadena de esas que usan los militares, con una pequeña placa. La placa no estaba grabada; era más bien una especie de sobre plástico que guardaba una pequeña cartulina. Flavia Correa la leyó en voz alta:

Luego, pidió que trasladaran a Enei a una de las colchonetas y exigió que todos desalojáramos la enfermería. Lo levantaron entre cuatro, aunque no debía pesar mucho. Era flaco, de huesos largos y de las mangas arremangadas del polerón sobresalían unos brazos finos y fibrosos. De nuevo me llamó la atención su piel blanca, casi transparente. Y su pelo oscuro, negro petróleo, brillante. Y unas manos toscas, de uñas cuadradas, que no parecían pertenecer a esos brazos de alambre.

Afuera, en el pasillo, todos nos reunimos en pequeños grupos para comentar la llegada y sobre todo el desmayo de nuestro inesperado visitante. No habían pasado muchas cosas significativas en nuestra toma. En otros liceos, en cambio, no pierden ni un minuto. En las asambleas discuten sobre todo tipo de temas, sacan conclusiones, elaboran informes, escriben manifiestos y comunicados. También organizan actividades abiertas a todo público, charlas, performances, obras de teatro y hasta conciertos. Pero la nuestra era una toma parca en debates y pobre en eventos. Una toma como de 'dejar pasar el tiempo'. Por eso la llegada de este nuevo compañero, y en aquellas espectaculares circunstancias, operó un cambio instantáneo y me di cuenta de que logró elevar los ánimos: renació la curiosidad, el compañerismo, el orgullo y hasta el "espíritu revolucionario" de todos nosotros.

Se trataba de un alumno del admirado Liceo de Aplicación; había sido perseguido por los malos de la película, golpeado y vejado por los tiras, obligado a alejarse de su propia toma y a refugiarse en nuestro colegio. ¿Cómo había llegado hasta aquí? ¿Por qué había tocado nuestra puerta y no otra cualquiera? ¿Qué sabía de nosotros? ¿Habría oído hablar acaso de nuestra modesta y solidaria toma? ¿Era posible que el Cachorro Salazar le hubiera narrado la visita que nos había hecho el jueves?

Encima, Enei sufría de narcolepsia, una extraña enfermedad, un mal que me sonaba casi cinematográfico.

No suelo ser de los voyeuristas que apenas perciben un tumulto, un accidente o una pelea se acercan para ver qué sucede y se apretujan lo más cerca posible del cuerpo atropellado, los combos, los gritos o el escándalo. Pero esta vez no pude evitar subirme a una silla para asomarme a las ventanas que daban al pasillo, como varios otros a mi lado, y así poder ver qué sucedía dentro de la enfermería.

Habían apagado las luces y Enei reposaba en una colchoneta extendida sobre el podio de los profesores, bajo la pizarra. Un saco de dormir verde le tapaba la mitad del cuerpo. Los brazos, cruzados sobre el pecho, descansaban relajados y simétricos como si alguien los hubiera arreglado para la ocasión.

Su rostro, blanco, de rasgos infantiles, se había ladeado levemente hacia la puerta del salón, hacia nosotros. Tenía los ojos un poco rasgados. La boca no era grande pero sí muy roja. Atardecía y la luz naranja y rosada se colaba por las ventanas para caer oblicua sobre Enei.

—Parece el Bello Durmiente —susurró Clara.

Y era verdad.

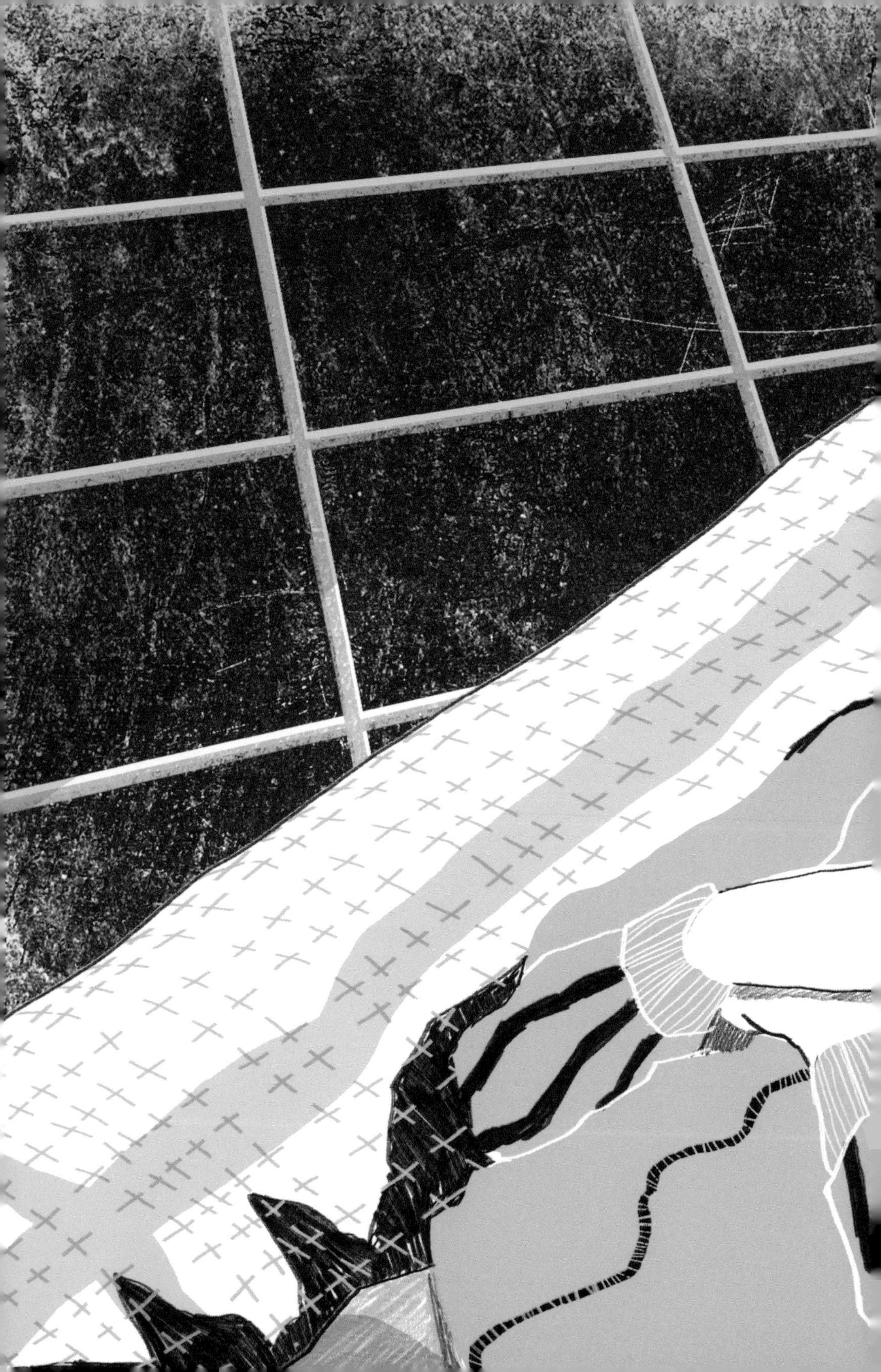

Flavia Correa salió de la enfermería acallando con las manos, en un gesto silencioso pero enérgico, los montones de cuchicheos que poblaban el pasillo. Nos invitó a alejarnos de la puerta y agruparnos en el patio para darnos el reporte. Dijo que había llamado a su tío que era médico y le había preguntado por eso de la narcolepsia. El tío le había dicho que era una condición muy rara pero que existía y que lo mejor era que simplemente lo dejaran dormir. Y también que no era mala idea avisarle a la familia. Habían buscado en los bolsillos de Enei alguna identificación, un celular, una billetera, pero curiosamente no tenía ni un solo documento. Esto era raro, apuntó Flavia. Esperarían un tiempo prudencial, tal vez despertara pronto. Valentín estaba intentando ubicar al Cachorro Salazar, pero le saltaba el contestador.

¿Dónde estaba Paula?

Me di cuenta de que llevaba varias horas sin pensar en ella, sin perseguirla con la mirada, sin buscar una reconciliación. Había pasado los últimos días tan concentrado en Paula, que de pronto me alarmé por haberla perdido de vista tanto rato.

Porque en la toma ella era mi foco, igual que la pelota en un partido.

Cuando comienza el juego, cuando el árbitro da el pitazo de partida, entro en una especie de trance. Un trance que consiste en enfocar la mirada sobre la pelota sin jamás permitirme desviarla. Los otros jugadores del equipo siempre gozan de tiempos muertos en los que pueden darse el lujo de pasear la vista por los contrincantes, por el público, buscar a una polola que espera en las graderías o incluso mirar al cielo despejado, o nublado, o atardeciendo. Pero yo jamás, nunca, pase lo que pase, puedo perder de vista el balón.

Más que los saltos, las caídas al suelo, las paradas o toda la exigencia física que debes soportar a lo largo de 90 minutos, lo que más me cansa en un partido, lo que de verdad me agota, es esa concentración absoluta que debo mantener sobre el voluble y veloz eje de la pelota.

A mí, tras un partido, lo que se me cansa es la mirada, los ojos; no las piernas ni los brazos. Y lo único que necesito al terminar es ponerme un antifaz, unos anteojos oscuros, o la camiseta sobre la cabeza, para no ver más.

Llevaba casi cinco días concentrado en Paula, sin perderla de vista, como a la pelota, deseando que se acercara y a la vez también temiendo esa proximidad que en segundos puede hacer mierda la defensa de tu arco. Quería atraparla, atajarla, inmovilizarla. Pero también disfrutaba viéndola moverse y hablar y dar vueltas, y no era capaz, ni quería, pararla. Disfrutaba de su cercanía, de esos pocos ratos en que casi podía rozarla con los dedos, pero me sentía más seguro cuando rodaba libre por el centro del campo, a una distancia prudencial, sin tener que enfrentarme a ella cara a cara. Mucho más después de nuestra pelea.

Durante toda esa tarde me había distraído: primero en mi escapada al techo, y luego con la llegada de Enei. En ningún momento busqué a Paula entre los que pululábamos alrededor del Bello Durmiente.

Así que había perdido mi foco. Y era una sensación realmente curiosa descubrir que tal vez no me había quedado todo ese tiempo en la toma solamente porque me gustara Paula.

Me separé del círculo que formábamos alrededor de Flavia Correa para observar desde lejos a mis nuevos compañeros. No había estado nada mal descubrirlos.

Y, por cierto, ¿dónde estaba Valentín?

Ni Paula ni Valentín estaban en el círculo que rodeaba a Flavia Correa hablando y dando instrucciones en el patio.

Podía haber caminado y curioseado por los pasillos. Si sospechaba que estaban juntos, solos los dos, nada me impedía ir hasta la Base Uno para cerciorarme. Pero, ¿para qué? Yo estaba tranquilo y esa tranquilidad me gustaba.

Me senté en un banco del patio. Anochecía, Flavia Correa se había callado por fin y entre varios estaban armando una fogata en medio de la cancha de fútbol.

En la tarde, Petrosi y otros del turno de cocina habían recogido y cortado un montón de maderas del taller de oficios para encenderlas. Siempre me han gustado las fogatas, pensé, desde muy chico, cuando mis papás nos llevaban a la playa y nos dejaban quedarnos con ellos y sus amigos hasta muy tarde en la noche alrededor de la hoguera. A la gente le gusta ver bailar las llamas y quedarse hipnotizado frente al fuego, pero a mí de las fogatas sobre todo me gusta el olor. Me gusta cerrar los ojos y sentir la cercanía del calor y el aroma intenso de la leña quemada.

Apagamos las luces del pasillo y acercamos unos bancos al fuego. Al rato salió Petrosi con una bandeja. En realidad era una pizarra convertida en bandeja. En ella había un montón de pancitos pinchados en palitos de madera. La Tini los repartió. Eran para calentarlos al fuego, pero con mucho cuidado, advirtió.

Todos nos acercamos a las llamas con nuestros palitos. Y los sacamos del fuego cuando estuvieron tostados. Al morderlos, nos dimos cuenta de la sorpresa que nos había regalado Petrosi: estaban rellenos de chocolate. Un chocolate derretido y caliente, delicioso, que se esparcía pegajoso por toda la boca, impregnando los labios y las encías. Petrosi y la Tini habían pasado toda la tarde rellenando los panes y habían esperado el momento propicio para alegrarnos la vida y el estómago con aquella maravilla. Tal vez no era así, pero quise creer que la habían guardado para el día en que más necesitáramos de esa explosión dulce y espesa capaz de reconfortarnos. Creo que todos pensamos en nuestras casas. Al menos yo recordé la *fondue* de chocolate que alguna vez preparó María José. Pero junto con esta nostalgia tuve también la certeza de estar en el lugar correcto, uno en el que yo quería y debía estar.

—¿De dónde sacaste el chocolate? —le pregunté a Petrosi—. ¿Lo tenías escondido?

Petrosi meneó la cabeza.

—No, en realidad apareció en la cocina esta mañana. ¡Como por arte de magia! —chasqueó los dedos y me guiñó un ojo—. Supongo que alguien lo trajo y se había quedado olvidado. El otro día también me pasó que encontré un cartón de huevos cuando creía que nos habíamos comido los últimos la noche anterior.

La guitarra pasó de mano en mano. Llegaron también los tambores. El Pelao, uno de los encargados de la sala de cine, rapeó y todos lo coreamos. Se cantaron cuecas y hasta un tango que bailaron juntas, y muy bien, dos chicas de segundo medio. Casi todos saltaban y bailaban alrededor de la fogata. Yo me quedé sentado en un banco, con los ojos intermitentemente cerrados, a pesar de que Ana, una de las "enfermeras", intentó sacarme a bailar. No bailo. No sé hacerlo y me siento completamente incapaz de intentarlo.

Y entonces apareció Paula. Fue abrir los ojos y encontrarla frente a mí, a pocos metros, bailando junto a la hoguera. Su cara resplandecía encendida. Su pelo corto y su falda también bailaban. Estaba más linda que nunca. Se giró y sus ojos me encontraron entre los pocos que seguíamos sentados. Luego caminó y se puso a mi lado.

—¿Sigues enojada? —le pregunté.

Meneó la cabeza y se mordió las uñas.

Entonces se sentó junto a mí y me rozó la pierna con su mano. Muy cerca, el Pelao y Santiago estaban hablando del Mundial, que empezaría en pocos días.

—¿Tú por quién vas en el Mundial? —me preguntó Paula de pronto.

—Por Francia —Paula se quedó mirándome, divertida, como tratando de adivinar si lo había dicho solo por complacerla. Me excusé—: iría por Chile, o por Colombia, pero ninguno clasificó... así que voy por los galos. Sobre todo por Zidane, el capitán. Este será su último Mundial y merece llevarse la Copa. Es su despedida. Va a retirarse... acaba de jugar sus últimos partidos con el Real Madrid...

—¡Zizou!... —y aquí Paula soltó un largo suspiro—. ¿Sabes que va a trabajar para la UNICEF?

Sin querer se me dibujó una sonrisa en la cara. Así que se interesaba por el fútbol, aunque fuera un poco; aunque solo fuera porque le gustaba Zinedine Zidane... y, ¿a quién no? Tuve ganas de abrazarla y ponerme a bailar. Pero entonces Paula me hizo un gesto para que la acompañara. Mientras todos seguían alrededor de la fogata, me condujo por las escaleras hasta la Sala 6. Me invitó a sentarme junto a ella en la colchoneta. Estaba muy cerca y olía muy bien. Quería mostrarme un libro de poesía que le gustaba mucho. Era un libro pequeño, de color crema con letras rojas, escrito en francés: el que llevaba esa mañana.

Eligió una página que estaba marcada con un papel y me tradujo un poema, susurrándolo, leyéndolo en penumbras, y supe que lo recitaba de memoria; la sala estaba a oscuras y era imposible ver con la poca luz que llegaba del patio.

Qué íbamos a hacer, la puerta estaba bajo guardia

Qué íbamos a hacer, estábamos encerrados

Qué íbamos a hacer, la calle habían cercado

Qué íbamos a hacer, la ciudad estaba bajo custodia

Qué íbamos a hacer, ella estaba hambrienta

Qué íbamos a hacer, estábamos desarmados

Qué íbamos a hacer, al caer la noche desierta

Qué íbamos a hacer, teníamos que amarnos.

El poema se llamaba *Toque de queda*. Lo escribió un poeta surrealista, Paul Éluard, me dijo Paula y volvió a susurrarlo, ahora en francés, con los ojos cerrados.

—¿Te das cuenta? Igual que nosotros.

Creo que la miré con los ojos muy abiertos. Y ella se retrajo un poco a causa de mi sorpresa.

—Así encerrados como estamos, como en un toque de queda —intentó explicar, azorada de pronto. Y se levantó de la colchoneta, y se sacudió el pelo y creo que tembló un poco. Hacía mucho frío. La Sala 6 estaba gélida, húmeda, en penumbras.

Levanté mi brazo, atrapé su mano y la conduje de nuevo a la colchoneta. Mis dedos se posaron sobre su nuca y la palpé como si fuera un ciego que por fin reconoce un rostro amigo. Paula había cerrado los ojos y acercó la cara, olfateando el aire. Yo no cerré los ojos cuando la besé. Porque no quería perderme nada.

O porque necesitaba comprobar que estaba haciéndolo bien.

—Esta mañana quería estrangularte —me dijo al oído.

—Esta mañana estuve a punto de estrangularte —contesté, y mi voz sonaba tan ronca y jadeante que casi no la reconocí.

—Eres tan orgulloso y tan porfiado...

Mi mano estaba en su cintura, al filo de su camiseta. La deslicé con cuidado hacia la espalda. Ella se tensó. Yo tenía los dedos fríos. Esperé a que se acostumbraran al calor que había allí debajo de la ropa mientras volvía a besarla, ahora sí con los ojos cerrados.

—No tenemos mucho que ver... —junto a mi oído, un suspiro quedo, desmayado—, ¿o sí?

—Tal vez. Tal vez no tengamos nada que ver.

SALA
6

6

Lunes

SEXTO DÍA EN TOMA

Me levanté a media mañana. Hacía mucho, muchísimo tiempo, que no me despertaba tan tarde. Las tripas me rugían. Y ya no quedaba nada de comida en la cocina. Lo mejor sería ir al gimnasio para distraer el hambre, me dije, intentando convencerme. Traté de imaginar a la gente que come una vez al día, o que pasa varios días sin tener nada que llevarse a la boca, o a los ascetas que viven en cuevas y que apenas se alimentan. ¿Cómo era posible que yo tuviera tanta hambre que apenas podía pensar en otra cosa?

Pero cuando me dirigía al gimnasio, el alboroto que había en la sala de computación me desvió de mi camino. En vez de ir a entrenar como me había propuesto, me acerqué a la sala del Mangueras.

La gente entraba y salía, desconcertada. Desde la puerta divisé cómo el Mangueras iba de un terminal a otro revisando las pantallas, los teclados y agachándose bajo las mesas para examinar los cables. Nadie tenía conexión a Internet, me dijeron.

Francisca, la anarquista, se acercó y se paró a mi lado. Sin mirarme, habló como si le hablara al aire.

—Esto huele a sabotaje.

Yo no le contesté; al fin y al cabo no se dirigía a mí.

—¿No crees que es un sabotaje? —preguntó todavía sin mirarme, siguiendo los cada vez más desesperados movimientos del Mangueras entre los computadores. Pero no esperó que yo respondiera—. Primero la tele. Luego Internet. Después cortarán la luz y el agua. Así operan.

—¿Quiénes?

—Los pacos, ¿quién más va a ser?

—¿Y qué dices que pasó con la televisión?

—Que la cortaron también. ¿No te habías enterado? ¿Pero tú a dónde te metes? —Francisca soltó una risa desagradable—. ¿En serio estás en esta toma?

Me daba lo mismo. No me iba a quitar el buen humor con el que me había levantado. Nadie iba a poder arrebatarme esa sensación poderosa y satisfecha que se me había anidado en el pecho.

Lo cierto es que no había conexión a Internet. Y el Mangueras, cuya única diversión era chatear y escribir en el blog de la toma, estaba desolado. Más encorvado que nunca, se acercó a la puerta con un gesto de impotencia y la mirada de un perro abandonado.

Aldo y Mellado llegaron y, para satisfacción de Francisca, dijeron que efectivamente se trataba de un sabotaje. Habían cortado los cables, seguramente desde la calle. Algunos acusaron a los pacos, era su estrategia para poco a poco hacernos desistir de la toma. No había ni televisión, ni Internet, ni teléfono. Lo acababan de comprobar en la sala de profesores, donde había un aparato fijo que solo podía usarse para emergencias: ahora ya no funcionaba. Aldo añadió en voz alta que Valentín acababa de convocar una asamblea extraordinaria. Nos esperaban a todos en la sala de reuniones en un par de horas; primero querían investigar.

Dejé a los consternados compañeros de la sala de los computadores y seguí por el pasillo. Para muchos, no tener Internet era una completa desgracia. A mí me daba un poco lo mismo.

Me detuve en la sala de cine. Agachados junto al televisor estaban el Pelao y Santiago. Los dos eran los encargados de la Cineteca de la toma. Enchufaban y desenchufaban el televisor, como si eso pudiera obrar algún milagro.

En un rincón, sentada en un escritorio, Paula leía. Levantó la mirada cuando me vio en la puerta: una sonriente invitación a acercarme. Di unos pasos hasta la pared, intentando disimular torpemente que mi único objetivo en esa habitación era ir a su encuentro.

—Qué mala onda esto de Internet y de la televisión... —le dije, simulando abatimiento.

—Tendremos que ver películas en vez de noticias —Paula cerró el libro (era otro libro en francés, viejo y gastado, *Sa Majesté des Mouches*, qué raro, Paula leyendo cosas de reyes) y se levantó.

Estaba tranquila, ajena al trastorno general, como si no estuviera sucediendo nada—. ¿Me acompañas?

La seguí sin preguntar a dónde íbamos.

En la biblioteca un grupo de unos quince alumnos estaba sentado, o más bien desparramado entre sillas, bancas y mesas. A diferencia de los otros salones del colegio, que habían sufrido una metamorfosis radical, esta sala apenas había cambiado en nuestros días de toma. Las mesas estaban dispuestas como siempre, al igual que las sillas, los libros intactos en sus exhibidores, el olor habitual, a polvo y a encierro.

No era la primera vez que se reunían allí. Paula me susurró que desde el comienzo de la toma el Gordo Mellado dictaba, a quien quisiera escucharlo, clases de Historia de las Movilizaciones Estudiantiles. Hasta ese momento su auditorio había sido harto reducido, pero la falta de Internet acababa de aumentar considerablemente la convocatoria.

—No tenía idea de esto... —susurré de vuelta.

—Bueno, es que no preguntas —me contestó Paula.

Mellado está de pie, plumón en mano, junto a un rotafolio.

—Parece que tengo que dar gracias a los saboteadores porque el quórum de hoy es conmovedor... —se escuchan algunas risas por la biblioteca y alguien le grita a Mellado que después de la clase nos reponga Internet—. No fui yo, lo juro, pero les daré mi bendición cuando los encontremos.

Estoy sentado junto a Paula y lo único que quiero es tomarla del brazo y escaparme con ella a un rincón, acariciarle el cuello, apretarle las caderas, besarla hasta que los labios me duelan.

—Como hay tantos compañeros recién incorporados, recito una vez más el pensamiento que alienta nuestras humildes reuniones —el Gordo Mellado hace un alto, pasea una mirada feliz por su auditorio, confirma que todos están atentos, y continúa—: Si nos hemos lanzado a las protestas para desafiar el orden establecido, el obsoleto sistema educativo, la injusticia y también a esa "muerte climatizada que quieren vendernos como porvenir" (cito a Julio Cortázar en el mayo parisino), lo mínimo que podemos hacer es saber un poco de lo que pasó antes de nuestro modesto mayo de 2006 en esta materia. Para no caer en la soberbia de pensar que somos los primeros, los únicos y los más bacanes. He dicho. Y con esto comenzamos.

Paula me da un rodillazo por debajo de la mesa para que preste atención.

—En las reuniones anteriores hablamos de las revueltas estudiantiles de Tucumán y de la Revista Claridad, aquí en Chile, a principios del siglo veinte. También nos paseamos por la triste Praga y por el mayo francés, cuyas consignas les gustaron mucho, especialmente la del "Derecho al orgasmo" y la de "Desabrochen el cerebro tan a menudo como la bragueta"... —Mellado se detiene y espera que las risas cesen. "Ya se nos embaló el Gordo", me dice la Tini, sentada a mi lado—. Y ayer estuvimos en la trágica Tlatelolco. México. También año 68, una fecha reincidente.

MEXICO
desaparicion
de estudian
deme
edu
bajar el
pase escolar
SANTIAGO
1982 - 1986
seguridad para estudiar
libertad para vivir
SANTIAGO
2006
deten
asesi
limentaria
Becas
PRAG

PARIS

1968

Mellado escribe “1968” en el centro del rotafolio. Y lanza una flecha hacia la derecha y escribe “PARÍS”. Luego una flecha a la izquierda: “MÉXICO”. Y otra hacia abajo: “PRAGA”.

—Sin embargo, todo eso nos queda un poco lejos, ¿verdad? Principios del siglo veinte suena a millones de años luz. El año 68, casi también. Por eso hoy quería que aterrizáramos en un paisaje más cercano: Chile. Las protestas estudiantiles contra la dictadura en los ochenta.

—¿Por qué las cosas importantes ocurren todas en las mismas fechas? —interrumpe una de las “enfermeras”—. Lo mismo con el 11 de septiembre. Esas coincidencias son realmente extrañas, casi paranormales...

—Algunos los llaman años o fechas-constelación, en las que coinciden sin explicación varios hechos y movimientos importantes, aparentemente inconexos y separados en el espacio. Así las bautizó el escritor mexicano Carlos Fuentes. Pero no tengo respuesta ni teoría científica que lo avale, Ana.

—¿Crees que este, nuestro mayo, será un año-constelación?

—No tengo ni idea, soy muy malo para las predicciones...

Mellado cambia la hoja del rotafolio y escribe en una esquina SANTIAGO: 1985-1986. Y en la otra pone SANTIAGO: 2006. Y debajo, un eslogan:

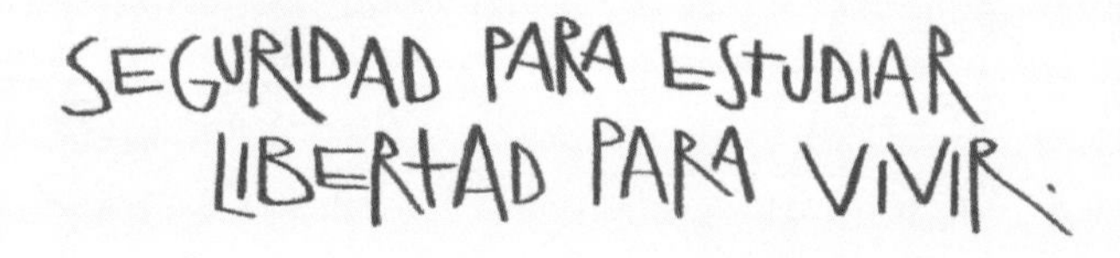

—Los estudiantes secundarios, aglutinados en el Comité Pro-FESES, exigían a mediados de los ochenta prácticamente lo mismo que nosotros ahora, veinte años después: democratización de la educación, becas alimenticias, rebaja del pasaje escolar, inscripción gratuita en la prueba de aptitud para ingresar a la Universidad, acceso igualitario a la Educación Superior. También exigían el esclarecimiento de los asesinatos y desapariciones de estudiantes de Enseñanza Media. Es en lo único en que, afortunadamente, no coincidimos hoy en día. En lo demás, seguimos igual. ¡Igual que hace veinte años, en plena dictadura!

Mellado suspira, un poco sofocado. Con el entusiasmo del discurso la cara se le ha puesto roja y varias gotitas de sudor le corren por la frente. Pienso que alguien debería alcanzarle un vaso de agua, al pobre, antes de que se desmaye. Pero él se encoge sobre el rotafolio y sigue escribiendo con ahínco:

—Aunque habían empezado antes, los años 85 y 86 marcan el cénit de las protestas de los secundarios. Y la heroica toma del Liceo 12, donde hubo más de 300 detenidos, fue realmente un punto de quiebre. Los secundarios comenzaron a ser capaces de movilizar a cientos para que salieran a las calles.

—Les dije que vieran el documental *Actores secundarios*, que está brígido, pero cuando lo proyectamos ayer éramos solo cinco en la sala de cine, ¡cinco! —se queja el Pelao desde la esquina.

—¿Pero sale nuestro colegio en la película?

—No, no sale. ¿Por qué va a salir? Este colegio no tiene historia de protestas.

—No creas —interrumpe Mellado—. Claro que este colegio tiene historia. Lo que pasa es que nadie quiere recordarla.

—Lo que digo es que nadie va a ver las películas que programamos.

—Pelao, ya vimos el documental, no seas tan pesado.

—¿Puedo seguir? —Mellado está perdiendo la paciencia—. Al año siguiente, cuando en mayo el gobierno anuncia la municipalización de los liceos, se arma la grande en la Alameda. Casi 500 estudiantes detenidos.

—Y aquí en nuestro colegio todos en clase, bajando el moño.

—No tanto, no tanto.

—¿Viste lo de mayo? Mayo es un mes-constelación, definitivamente.

—Solo en el Aplicación murieron más de 27 alumnos durante la dictadura.

—Bueno, es que el Aplicación es el Aplicación. Nada que comparar.

—¿Es una competencia, a ver quién tiene más muertos?

—¿No fue también en mayo del 88 la toma del Liceo Amunátegui, para llamar a votar por el NO?

—Lo que digo, todo ocurre en mayo.

—¿Los idus de mayo? ¿Qué era eso?

—De marzo, idus de marzo.

—No es competencia de muertos, pero los que estuvieron en el ajo tienen a quien llorar. Y los que no, pues nada.

Todos hablan a la vez y el Gordo Mellado está a punto de ponerse furioso.

—¿Creen que nuestro colegio siempre fue ajeno a lo que sucedía en el resto del país y que cerró los ojos durante los años de dictadura? No es tan así. Pasa que no nos preocupamos por conocer nuestra propia historia.

—¿De qué hablas, Mellado? Este siempre fue un colegio apolítico. Con una Dirección que no se quería meter en problemas.

—Hubo algunos de nuestros estudiantes que se lanzaron a las calles en los ochenta para unirse a las cada vez más masivas manifestaciones y protestas. Tal vez no eran muchos. Pero hubo por lo menos tres.

Ya sé para dónde va el Gordo. Va a sacar a colación el libro donde aparece María José. *Nuestros estudiantes, nuestras víctimas*. Y yo quiero marcharme antes de que mencione a mi mamá. Pero es imposible salir. Estoy encerrado entre Paula y la Tini. Levantarme y escaparme sin que se den cuenta, es imposible. Me recrimino: siempre hay que sentarse al lado de una puerta, esa es mi norma en cines, teatros, clases y asambleas. Y el que ahora está en ese lugar es Enei, los brazos cruzados sobre el pecho, las piernas estiradas, la cara concentrada.

Mellado escribe en su rotafolio, apretando el plumón:

CARLOS LÓPEZ
RODRIGO VALDIVIA
MARÍA JOSÉ ALTAMIRANO

—Estos tres alumnos de nuestro colegio, alentados por una profesora que trabajaba aquí en esos años, una mujer que nuestros directores han querido olvidar, pero que dará para otra clase... —Mellado se da un respiro, suda, resopla—. Alentados por la profesora Luisa Garretón, como les decía, estos tres alumnos se atrevieron a participar en cada marcha y cada protesta que hubo entre el 85 y el 86. Uno de ellos, Rodrigo Valdivia, nunca regresó. Y aquí el compañero Nicolás puede darnos un testimonio de primera mano acerca del compañero Rodrigo —a mi lado, Paula se remueve y me clava una mirada sorprendida, curiosa—. No voy a llamarlo un mártir de nuestra casa porque eso sería demagógico y cursi. Pensemos en él como un estudiante valiente que peleó hasta el final por sus ideales, aunque eso también suene un poco cursi.

Mellado me invita a hablar y yo me encojo en el asiento.

¿Cómo es que no me has contado nada de esto?, reclaman los ojos de Paula mientras me da un pellizco en el muslo.

Pienso que tengo que levantarme y hablar, pero mis extremidades no responden bien. Yo nunca hablo en público. Tengo los pies helados y un cosquilleo me sube por los dedos de las manos. Intento reconstruir lo que sé de Rodrigo y nada me viene a la cabeza.

Por fin me escucho decir:

"No puedo contar bien lo que le pasó a Rodrigo, ni cómo era. Ahora me doy cuenta de que debería haber preguntado, haber tenido más curiosidad. Es que Rodrigo es parte de la historia de mis padres, una historia que nunca nos contaron de manera ordenada ni a mi hermana ni a mí. Escuchamos algunas conversaciones, vimos fotos...

...De Rodrigo Valdivia hay varias fotos... En todas tiene más o menos mi edad... Es raro que el mejor amigo de tu mamá tenga tu edad y se vista casi igual que tú, con el mismo uniforme...

...A veces María José habla con mi papá de esos años. Hablan de lo que hacían juntos, de los planes que tenían, de las cosas que les importaban o que les daban rabia. Y se acuerdan de cuando Rodrigo se puso más radical y tomaba la micro después de clase y se iba a las poblaciones a hacer trabajo voluntario. Y al final, ya casi no venía al colegio...

...Rodrigo creía que estábamos bien jodidos y que no había por qué quedarse callado. Si los grandes no salían a la calle a reclamar y a decir que ya era suficiente, tendrían que hacerlo ellos. Los secundarios. Los de quince, los de dieciséis...

...Como él, que se quedó de dieciséis para siempre".

Me derrumbo en el asiento, agotado. No recuerdo haberme levantado para hablar. ¿Cuánto tiempo he estado de pie? No sé qué he dicho exactamente durante los últimos minutos. No me atrevo a mirar a nadie. Me concentro en la superficie de madera de la mesa, suave de tan gastada.

—Como cuenta María José en un libro que pueden consultar aquí en la biblioteca, Rodrigo estaba en la toma de la Facultad de Medicina. Año 85. Los pacos, bien escoltados por el guanaco y el zorrillo, están a punto de allanar —Mellado me releva y se lo agradezco, él sabe contar las cosas mejor que yo—. Un pequeño grupo de estudiantes se da cuenta de que deben distraer a la policía para que todos los demás puedan escapar por un portón lateral. Y eso hacen. Los guían hasta el gimnasio, donde unos seis estudiantes se encierran y gritan y hacen ruido, como si fuera una muchedumbre la que está ahí dentro. Los pacos caen en la trampa y piensan que todos los estudiantes están encerrados en el gimnasio. Cuando logran abrir la puerta y entrar, la mayoría ya ha podido escapar por el costado del edificio y dentro solo encuentran a esos seis. Los pacos cargan sin piedad al verse engañados, se enfurecen, se los llevan. Rodrigo entre ellos. No apareció nunca más.

Me atrevo a dar un vistazo alrededor. Varios me están

observando, desconcertados, extrañados.

Enei cruza la mirada conmigo, sube las cejas, asiente, como si yo le hubiera preguntado algo, como si estuviéramos de acuerdo en algo.

¿Me van a aceptar más y mejor porque mi mamá hizo lo que hizo durante los ochenta?

Y sí: de pronto me están mirando distinto.

De un momento a otro parece que han cambiado completamente la imagen que tienen de mí.

Todos se levantan y dejan la biblioteca. La asamblea urgente convocada por Valentín está a punto de empezar. Paula me agarra de un brazo y me detiene antes de que salga con los demás.

—Lo que dijiste fue muy emocionante.

—Es cosa de mi mamá, no tiene que ver conmigo.

—Hablo de la manera en que lo dijiste... ¡y claro que tiene que ver contigo!

Y me arrastra hasta uno de los pasillos. Y me besa.

Rodrigo Valdivia

* ~~Tercera Comisaría~~ (Pasaje Fernandez Albano 165, entre Agustinas y San Martín)
* ~~Tribunal de Menores~~
* ~~Hospital del Trabajador~~
* ~~CODEPU (Paseo Bulnes 188)~~
* ~~FASIC (Manuel Rodríguez 33)~~
* ~~General Borgoño~~ 1204, (Independencia)
* ~~CNI (Santa María 1453)~~
* ~~Instituto Médico Legal~~

Santiago, marzo de 1986

Estimada Profesora Luisa Garretón,

Con mucho pesar, nos vemos obligados a invitarla a abandonar el cargo que ejerce en nuestro establecimiento desde febrero de 1970. Considerando las repetidas y múltiples ausencias en las que ha incurrido a lo largo del último año, no nos deja más alternativa que la de solicitarle que entregue a la Dirección su <u>inmediata renuncia.</u>

Demás está decirle que es para nosotros una acción muy dolorosa y esperamos que comprenda que sólo la hemos tomado como último recurso...

LA DIRECCIÓN

Valentín estaba sentado sobre la mesa del profesor. Me chocó ese gesto casual cuando él siempre se comportaba tan estirada y formalmente. Se veía cansancio en su cara, más que preocupación o alarma. Nos invitó a sentarnos. Lo escoltaban Flavia Correa a su derecha y el Gordo Mellado a la izquierda. A diferencia de otras asambleas, la gente estaba en completo silencio.

—Esta será una reunión breve. Somos menos y debemos organizarnos y actuar. Hay mucho que hacer —Valentín suspiró como para darle más gravedad a sus palabras—. Como ya saben, nos cortaron Internet. Creemos que es un sabotaje de la policía, pero no estamos seguros.

Flavia Correa se levantó para hablar:

—Pero puede ser que haya sido un sabotaje interno —sus palabras hicieron que un murmullo de alarma se alzara en el salón—. Cuando digo interno, estoy hablando de la comunidad del colegio. ¿El director o algún profesor que quiere darnos una lección? ¿Alumnos resentidos por lo que estamos logrando?

—¿Entonces creen que lo hizo alguno de nosotros? —preguntó el Mangueras alterado y mirando alrededor suyo.

—No sabemos nada aún, no vale la pena especular —respondió Valentín, como dando el asunto por concluido—. El problema más grave ahora es la comunicación. Debemos estar en contacto con la Asamblea Coordinadora de Estudiantes. Tienen que confirmarnos si hay marcha mañana martes, así que tenemos que estar muy atentos. Sin teléfono fijo, sin correo y sin Internet, solo nos quedan los celulares.

—Yo creo que ahora mismo el problema más grave es la comida —dijo Petrosi, pero con una voz tan baja que solo los que estábamos sentados junto a él pudimos escucharlo.

—Lo más urgente es la señal del televisor —apuntó el Pelao—. Para por lo menos seguir viendo las noticias.

—¿Quién va a creerle a los noticieros? ¡Por favor! —gritó Francisca, sentada en la mesa de uno de los escritorios—. Primero, todos los estudiantes éramos unos encapuchados que destrozaban la ciudad y, ahora, los dirigentes salen en primera plana y los entrevistan como si fueran estrellas de rock.

—Como iba diciendo —evidentemente molesto por las interrupciones, Valentín esperó que se hiciera silencio para continuar—, hemos pensado hacer una colecta de los celulares que aún tienen minutos para llamar. Fue una idea de Enei; lo hacen en el Aplicación en casos de urgencia —todos nos giramos hacia el Bello Durmiente, sentado junto a la puerta, muy despierto y sonriente—. Nos hacen falta. Levanten la mano aquellos a los que les queden minutos en sus teléfonos.

—¿Pa' qué necesitan llamar? ¡Manden unos SMS! —gritó una de las chicas de la enfermería, Valeria.

—Es un gesto voluntario —mientras Valentín hablaba, el Rata y Aldo comenzaron a pasear entre las filas de los pupitres. Nadie había levantado la mano aún. Nadie parecía dispuesto a desprenderse de su celular.

ASAMBLEA
13:30 – 14:45

—¿Qué es lo último que se sabe de la Asamblea? —preguntó Paula—. ¿Hay noticias? ¿Ha habido avances con el gobierno?

—Hablé con el Cachorro Salazar a las nueve de la mañana. Esa fue mi última comunicación. Las tomas continúan —respondió Valentín—. Y el gobierno no se ha pronunciado con respecto al petitorio. Algunos dirigentes están intentando reunirse mañana con el Ministro. Creo que el gobierno no dirá nada hasta después de la marcha.

—¿Pero seguro que hay marcha? —preguntó el Pelao.

—Justamente —a Valentín se le iluminó la cara—. Por eso es tan importante estar comunicados. Debemos prepararnos por si hubiera algún cambio en la hora de salida, o en la ruta de la marcha.

—No deberíamos dejar solo el colegio mañana. ¿Cómo haremos? —volvió a preguntar Paula.

—Paula tiene razón en lo de que no podemos dejar el colegio solo. Si nos vamos todos, podrían venir y cerrarlo para impedirnos volver a entrar.

Flavia Correa se levantó de su pupitre y llamó a Aldo con un gesto de la mano, como si estuviera llamando a un camarero.

—Aquí está el mío. Le quedan unos pocos minutos pero creo que puede servir de algo —y le pasó su celular a Aldo. Era un aparato último modelo, de color rojo fuego.

Entonces varios se entusiasmaron y sacaron sus celulares y se los pasaron a Aldo y al Rata. Flavia Correa sonrió, encantada del arrastre que tenía entre las masas. Aldo pasó a mi lado y se detuvo, esperando.

—¿Entonces? —preguntó.

—No tengo minutos —mentí.

—Pero si todo el rato andas hablando con tus amigos del fútbol.

—No te voy a pasar mi celular, Aldo.

—Muy bien, me encanta la gente solidaria —y lo dijo muy alto.

Miré a Paula. Acababa de entregar su celular al Rata, advirtiéndole que solo quedaba dinero para enviar mensajes. Estaba sentada un poco más adelante que yo y podía ver su nuca.

Todos, excepto yo, habían entregado sus teléfonos.

Aldo y el Rata pusieron los celulares en una mochila y se la entregaron a Enei. Sonriendo, le dio unos golpecitos, como si dentro hubiera un tesoro. No sé si se había dado cuenta de que mi celular no estaba allí.

—Creo que eso sería todo. Podemos dedicarnos toda la tarde a preparar los carteles para la marcha. Deberíamos pensar en algo potente para llevar.

Petrosi, a mi lado, carraspeó. Le costaba hablar en público.

—Yo... este... Valentín... es que no hemos hablado de otra cosa importante.

—Cuenta, Petrosi, ¿qué pasa?

—La comida. Ya no nos quedan sino unas pocas galletas de soda.

—¿No queda nada más? —Valentín se alteró—. Había mucha

comida. Suficiente para diez días, por lo menos. Eso fue lo que calculamos. ¿Sabes algo de esto, Clara?

Clara encogió los hombros y Petrosi continuó.

—Hay Nescafé. Pero no podemos sobrevivir a punta de galletitas y café. Deberíamos salir a buscar comida. Hoy mismo. Para la noche.

—Nadie debería salir hoy —dijo el Rata tajante—. Los pendex se fueron ayer, así que seguro que el director o los pacos estarán esperando allá afuera que otros salgan también.

—Se trata de buscar comida —rogó Petrosi.

—Como Jefe de Seguridad, yo prohibiría cualquier salida, aunque se trate de una misión de aprovisionamiento —el Rata miró a Valentín buscando aprobación.

—Es mejor no ir a ninguna parte, Petrosi —aseguró Valentín—. Ya lo solucionaremos. No nos vamos a morir por comer galletas unas cuantas horas.

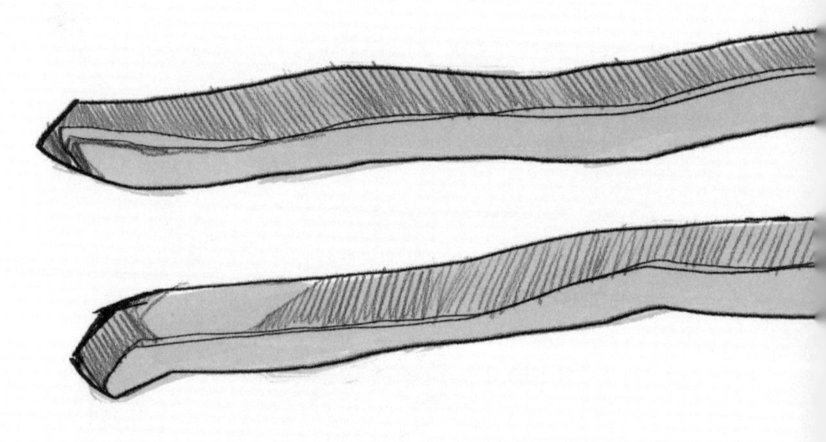

—Entonces —Petrosi carraspeó—... propongo abrir el casino, es la única solución que se me ocurre.

Vi cómo la cara de Aldo se ponía blanca. Valentín lo miró.

—Está bien. Saquen solo lo imprescindible para un par de comidas. Y solo entrarán la Tini y tú.

Aldo seguía blanco y abatido. Como si Valentín le hubiera dado la peor noticia de su vida.

—Acompañados de Aldo, por supuesto —siguió Valentín—. Él sabe bien qué hay y qué cosas es preferible tomar prestadas. Aldo, solo es un préstamo que nos está haciendo tu papá.

La reunión se acabó de inmediato. Todos salieron dando empujones detrás de Aldo y de Petrosi. No se querían perder cómo por fin saqueábamos el casino.

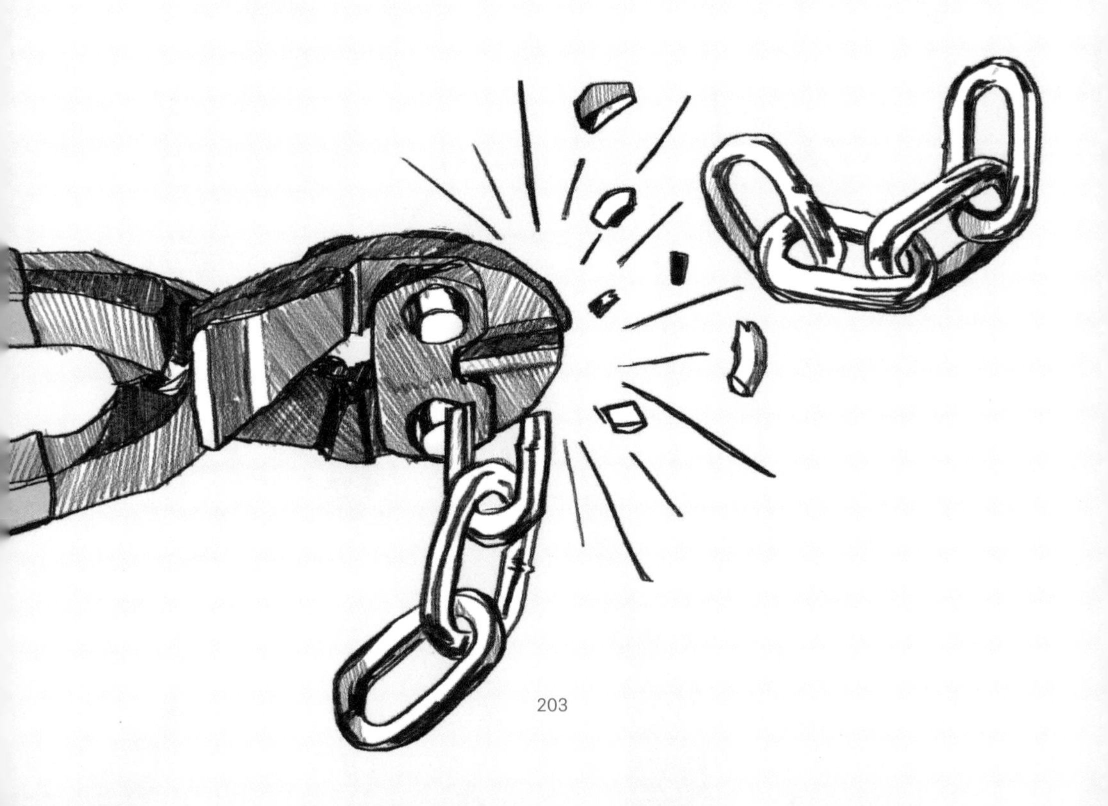

CASINO
INO

PAN

En el pasillo, Valeria, la chica enfermera y peluquera, me detuvo. A su lado estaba la otra, Ana.

—Aquí está pasando algo raro —dijo Ana en voz baja—. Ven, acompáñanos a la enfermería. Queríamos contarte una cosa.

Las obedecí desganado. Hubiera preferido ir con los demás a ver la ansiada apertura del casino.

Creo que ya he dicho que Valeria y Ana dormían en la enfermería. Y que tenían todo muy pulcro. Dos colchonetas y dos sacos de dormir perfectamente arreglados en un rincón. Los remedios alineados en una estantería. Sus mochilas ordenadas. Hasta habían llevado algunas plantas para poner sobre la mesa. Lo único malo era el olor a agua oxigenada y a tintura. Me llevaron hasta la esquina y nos sentamos en unas sillas dispuestas en círculo.

Valeria y Ana se miraban la una a la otra y me miraban luego a mí, con picardía.

—¿Y eso que me iban a contar?

—Ah eso... bueno, que están pasando cosas raras, ¿no te parece? —Ana me seguía mirando de una forma muy extraña.

—Sí, lo del corte de las líneas de teléfono...

—¿Quieres que te arreglemos el pelo? —preguntó Valeria de pronto. Creí que no la había escuchado bien.

—Podríamos cortarlo un poco a los lados. Te quedaría mucho mejor.

—Pero no vine a cortarme el pelo sino a que me dijeran...

—Eso, claro.... Es que escuchamos ayer en la mañana a Flavia Correa y al Rata hablando.

—¿Y?

—Siéntate aquí. En serio que te hace falta un arreglito —y Ana me empujó hacia una silla.

—¿De qué hablaban Flavia Correa y el Rata? —pregunté mientras Valeria me cubría con una toalla.

—De tu amigo, el grande —Ana tomó una tijera y Valeria me roció agua con un spray.

—¿De Rafa?

—Sí, tu amigo del fútbol. Siempre andas con él. Y también con otro, uno cabezón y muy lindo. Me encanta su mirada, esos ojos traviesos —Valeria hablaba de Fernando, que tiene la cabeza como un melón y, a pesar de eso, mucho éxito con las chicas.

—Yo prefiero al grande —Ana comenzó a cortar. Aunque mi impulso fue levantarme de un salto me controlé, sobre todo porque moverse podía significar terminar con las tijeras clavadas en el cuello—. Tiene ojos de malo... Me encantan los malos.

Si supiera lo bueno que es Rafa, pensé.

—Yo no sé cuál me gusta más, si el cabezón o el rubio —Valeria ahora se refería a Domingo, el único rucio entre nosotros—. El rubio es muuuy simpático. Siempre está sonriendo. Tiene unos dientes preciosos.

—¿Y qué dijo Flavia Correa sobre mi amigo el grande?

—Estaba hablando con el Rata, como te decíamos... y no sabían que estábamos cerca —Ana cortaba y cortaba pelo. El suelo alrededor de mis zapatos comenzó a cubrirse de mechones—. Porque el Rata habla mucho de sus aptitudes de seguridad, pero no se da cuenta de quién lo está espiando.

—¿Los estaban espiando?

—No al principio —contestó Valeria—. Estábamos en 'El hoyo' y ellos se pararon a hablar delante de la puerta. No podíamos salir hasta que se fueran, así que no nos quedó otra que escuchar lo que escuchamos.

Llamábamos "El hoyo" a una bodega que ya no se usa, debajo de las escaleras. La gente se mete allí a atracar y manosearse. No les pregunté qué estaban haciendo ellas en ese lugar.

—¿Y eso que escucharon era...?

—El Rata le dijo a Flavia Correa que tu amigo el grande estaba en la puerta preguntando por ti —Ana seguía cortando y yo no me atrevía a decirle que parara, porque quería que continuara hablando.

—El grande estaba en la puerta preguntando por el arquero, o sea, por ti —repitió Valeria—. Y entonces Flavia Correa bajó la voz pero igual la escuchamos.

—¿Qué dijo? —estaba empezando a desesperarme.

—Dijo... —Ana levantó las tijeras, me sacudió el pelo, hizo que girara la cabeza y al parecer se dio por satisfecha—. Listo. Tenemos un espejo pero es muy pequeño. Tendrás que ir a verte al baño. Pero antes, Valeria te va a peinar.

—¿Qué fue lo que dijo Flavia Correa? —pregunté de nuevo, impaciente.

—Que por ningún motivo dejara entrar a tu amigo el grande. Que inventara algo para que no pudiera entrar. Y Flavia Correa agregó: "Lo que menos nos conviene es tener más gente difícil aquí dentro. Basta con Nicolás y con Paula. Seguro que ellos dos van a comenzar a cuestionar todas nuestras decisiones". Y entonces el Rata le dijo que no se preocupara, que para eso se estaban preparando. Para combatir disidentes.

—¿Disidentes? —pregunté.

—¿Tú andas con Paula? —preguntó a su vez Valeria mientras me atusaba el pelo con un cepillo redondo.

No le respondí. Estaba aturdido. Quería levantarme e irme. Tenía que hablar con Paula. Además, Valeria me estaba tirando el pelo. Le pedí que parara.

—Creo que está bien así. En serio. Me gusta mucho —me quité la toalla que tenía sobre los hombros y me levanté—. Gracias por el corte de pelo y por la información.

—De nada —Ana dobló la toalla con cuidado mientras Valeria barría y recogía mis mechones—. Cuenta con nosotras para lo que sea.

—Confiamos en que después de la toma nos presentes a tus amigos —dijo Valeria con una risita nerviosa.

—Claro. Por supuesto. Ellos estarán felices.

Al salir, un golpe de viento me produjo un escalofrío que me bajó desde el cuello hasta las piernas. Ana y Valeria me habían dejado muy poco pelo y, además, completamente mojado. La temperatura descendía cada día y me pregunté cuánto más podría aguantar sin una buena chaqueta, un gorro y una bufanda. El cielo estaba gris y cubierto de nubarrones. Me crucé en el patio con el Pelao, que venía con una bolsa de papas fritas y una bebida en la mano. Estuve tentado a dejarme caer por el casino y sacar algo de comida. Seguía muerto de hambre. Pero le arranqué la bolsa de las manos y le pregunté por Paula. Me contestó que estaba en el gimnasio. Pintando las pancartas para la marcha.

En la puerta frené en seco y esperé unos segundos para tranquilizar mi respiración. Entré intentando no hacer ruido. Paula estaba sola, arrodillada en el suelo frente a un largo lienzo blanco. Tenía un pincel en la mano, pero no se decidía a pintar, como si estuviera meditando por dónde empezar. El pelo le tapaba la cara.

—¿Me estabas buscando? —preguntó en voz baja, sin moverse.

—Sí —y de pronto la mente se me puso en blanco, y no recordé nada de lo que quería hablar con ella.

Paula se me quedó mirando, divertida.

—¿Qué te hiciste en el pelo?

—¿Esto? —me pasé la mano por la cabeza sin querer—. Nada. Un peaje que tuve que pagar.

Y le conté mi escena de peluquería con Valeria y Ana. Y lo que ellas me contaron sobre Flavia Correa, el Rata y sus conspiraciones.

—Parece que ni tú ni yo les gustamos mucho —concluí.

—Flavia Correa es terrible. Creo que está planeando darle un *coup d'état* al pobre Valentín... Deberíamos ir a contarle.

—A mí no va a creerme —meneé la cabeza y luego señalé todos los pinceles y cartones y telas y latas de pintura que había esparcidos alrededor—. No sé si me gusta mucho esta invasión a mi gimnasio. Imposible venir a entrenar.

—Fue idea de Enei. Dijo que mañana llovería y que lo mejor era pintar todos los carteles dentro. Y salir desde aquí todos juntos.

—Está lleno de ideas este Enei. Recoger los celulares, pintar aquí o allá...

—Bueno, tiene más experiencia que nosotros. Es del Aplicación. Y allí han estado en muchas tomas.

—Flavia Correa odia a todos los del fútbol de una manera completamente irracional —dije, pero Paula parecía no escucharme, se había quedado mirando al vacío, dándole vueltas al pincel en la mano—. ¿Estás escuchando?

—Sí, sí, y no creas que es la única que odia a los del equipo de fútbol, pero no es en Flavia Correa en la que me he quedado pensando... Pero da igual. Hay cosas más importantes ahora. Como terminar estas pancartas —parecía de pronto enojada, o muy concentrada, con las cejas juntas y la boca fruncida—. Nadie ha venido a pintar; todos están locos con el asalto al casino.

Entonces escuchamos el ruido del portón del gimnasio abriéndose y nos callamos. Desde la colchoneta en la que estábamos sentados no alcanzábamos a ver quién había entrado. Sentimos pisadas. El Rata y Flavia Correa aparecieron desde detrás del armario de los lockers. Nos levantamos.

En la pared del fondo había una vitrina donde se alinean los trofeos deportivos del colegio. En las puertas de la vitrina un reflejo me tomó por sorpresa. Por primera vez veía mi nuevo corte de pelo. Que era realmente corto-corto.

—Así que aquí están los dos, juntitos —la voz del Rata sonaba especialmente cargante con la amplificación que le daba el gimnasio vacío.

—¿Vienen a pintar? —preguntó Paula—. Estamos bastante retrasados con esto.

Flavia Correa hizo como si no la hubiera escuchado.

—Qué bien que te encontramos aquí, Nicolás, porque quería hablar contigo sobre el corte de las líneas de Internet y de teléfono —comenzó Flavia Correa.

La miré extrañado. No sabía a dónde quería llegar.

—Porque realmente no sé, Nicolás, qué haces tú en esta toma. Jamás te ha interesado la política. Ni lo que hacemos en el Centro. Ni el movimiento estudiantil. En serio que me pareció muy raro cuando te quedaste. Ya sabes, a veces se cuelan infiltrados en las tomas. Hay que tener mucho cuidado con los sapos pagados por los carabineros. Se hacen pasar por estudiantes adheridos a las movilizaciones, y espían, y hacen fotos, y luego en las marchas se ponen la capucha y dejan la escoba...

—¿Sapos? ¿Aquí? Estás loca... Oye, ¿qué estás insinuando?

—Nada. Solo quería que me contaras por qué te quedaste...

Sentí la cara encendida. Paula estaba a mi lado y me miraba fijamente. Ella también parecía estar esperando que yo diera mis razones para estar en la toma.

—Porque, Flavia, me di cuenta de que no siempre se pueden ver las cosas desde la seguridad del arco.

Flavia Correa se quedó unos segundos desconcertada, como si yo le hubiera hablado en chino. Paula sonrió mirando al suelo.

—¿Qué sabes del corte de los cables? —atacó el Rata.

—Menos que tú, seguro —respondí.

—¿No podría ser que tus amigos hayan cortado los cables en la calle? —Flavia Correa hablaba con voz melosa—. Tal vez se enojaron cuando, por causas completamente razonables, no los dejamos entrar... O quieren que la toma se acabe porque quieren verte. O porque quieren que se reanuden los partidos de fútbol. O tal vez estén alineados con el director. O con alguien más...

—Deja de insinuar cosas de mí y de mis amigos —sin poder evitarlo me acerqué mucho a Flavia Correa. Estaba comenzando a enfurecerme—. Tus teorías de conspiración son ridículas.

—Tranquilo, Nicolás.

—Ya sabemos que inventaron lo de que Rafa estaba volado para tener argumentos y no dejarlo entrar a la toma —Paula se colocó entre Flavia y yo, separándonos. El Rata también estaba muy cerca, podía sentir su aliento en mi hombro.

—Pero eso ya lo hablamos —Flavia Correa movió su mano con hastío—. Si no saben lo que consume su amigo, no es mi culpa.

—Tú lo inventaste —Paula se había puesto ronca y su deje francés se había acentuado.

—Paula, es muy patético que te pongas a defender a tu recién estrenado pololo —Flavia Correa esbozó una mueca paternalista—. En serio que me dejaste plop. Siempre aposté a que ibas a quedarte con Valentín, o como mucho con Mellado... pero ¿esto?

—No sé qué estás planeando, o qué pretendes con tus mentiras, pero te aconsejo que pares. Ya es suficiente.

—A mí no me des consejos, *francesa* —ahora eran Paula y Flavia las que estaban frente a frente, con las caras muy juntas. Pensé que iban a comenzar a pegarse y a tirarse del pelo en cualquier momento—. A Valentín puedes ir y pintarle los monos, pero a mí no, galla, conmigo ni lo intentes. ¿Algo más? Tengo que volver a la Base Uno.

—Quiero que me devuelvan mi celular —dijo Paula.

—Pídelo esta noche en la asamblea, si no te importa. Ahora, si me perdonan...

Petrosi y la Tini estaban muy atareados en la cocina. Por primera vez en días, las tres cocinillas a gas estaban encendidas. El olor era exquisito. En una olla grande estaban hirviendo unas papas. Al lado, cocían un pollo con arvejas y salsa de tomate. Y en la tercera estaban preparando huevos revueltos con tocino. Un banquete. Todos querían ayudar en algo, para estar lo más cerca posible de las ollas y de sus aromas. Pero Petrosi insistía en que no había nada que hacer, solo esperar. Pidió que pusiéramos la mesa y nos sentáramos. Primero iban a salir los huevos revueltos. Para comerlos con pan de molde y con mantequilla, anunció orgulloso. Todos aplaudimos. El saqueo al casino del papá de Aldo había sido un éxito.

Comimos hambrientos y felices. Es asombroso lo que puede hacer una buena comida. Nos sentíamos como una familia (y claro, como en toda familia hay problemas y desavenencias: Paula y yo no mirábamos hacia donde estaba el Rata). La gente hacía bromas. Todos nos reíamos. Alguien sacó una guitarra y amenizó la sobremesa. El Pelao intentó bailar sobre unas sillas y casi se rompió la frente al caer. Enei, el Bello Durmiente, estaba al lado de Paula, y ella habló con él todo el rato, al parecer muy interesada ya no solo en los detalles de la toma del Aplicación sino también en su vida. ¿Ya había podido comunicarse con sus compañeros? ¿Formaba parte de la dirigencia estudiantil? ¿Cuáles eran sus preferencias políticas? ¿Dónde vivía? ¿Había estudiado siempre en el mismo liceo? ¿Qué hacían sus papás?

Yo intentaba escuchar la conversación, pero Ana y Valeria, que se habían sentado una a mi lado y la otra frente a mí, insistían en llamar mi atención y preguntarme sobre mis amigos del fútbol. ¿Qué les gustaba aparte del fútbol? ¿Pensaban convertirse en jugadores profesionales? ¿Estaban a favor o en contra del movimiento estudiantil? ¿Tenían novia o novio? ¿Qué pensaban de que una mujer gobernara el país?

De pronto, Flavia Correa irrumpió en el comedor. Nos pidió reunirnos. Había un asunto grave que tratar. ¡Otra vez! Estaba harto de las asambleas. Parecía que nuestra vida se había reducido a los pequeños espacios de tiempo que ocurrían entre asamblea y asamblea.

Paula y yo nos sentamos en las últimas filas de la sala de reuniones. Y de vez en cuando, Valentín nos echaba unas miradas extrañas. El asunto grave era el sabotaje a las líneas telefónicas, comenzó Flavia Correa. Y se largó con una aburrida y detallada explicación acerca de los cajetines de los cables, del lugar por donde entraban y salían, del rastreo que habían hecho a lo largo de las últimas horas para detectar qué había sucedido...

Me estaba comenzando a aburrir. Me suele pasar. La gente comienza a hablar cosas que no me interesan o que ya conozco y yo me distraigo. El sol estaba cayendo; la luz roja del atardecer inundaba la habitación. Debían ser las seis de la tarde. Me encantan los partidos de fútbol que comienzan a esa hora. El aire fresco. El olor a pasto recién regado. El ruido que hace la gente al sentarse en las gradas. La oscuridad asentándose poco a poco sobre todas las cosas y todas las personas, haciendo que solo se distingan las siluetas. Hasta que encienden las luces de la cancha y el árbitro da el pitazo inaugural. Y todo se ilumina y se pone en movimiento. Velozmente. Ruidosamente.

Echaba mucho de menos jugar un partido. Para solo tener que pensar en la pelota que se acerca. Rápido, cada vez más rápido. Saber que tengo que detenerla. Saber que todo lo importante se decide allí en la cancha, en unos pocos segundos.

Paula me dio un codazo.

—Está hablando de ti —susurró. Se había dado cuenta de que yo estaba en otra.

La teoría que seguía explicando Flavia Correa apuntaba a que yo (ayudado externamente por Rafa, Domingo y Fernando) era el culpable. No es que no me lo esperara, pero me sorprendió tanta desfachatez. No lo dijo con nombres y apellidos, pero era muy sencillo entender que estaba hablando de mí como el gran infiltrado, el sapo reclutado por la Dirección o, incluso, por los pacos. Comencé a sentir miradas desde todos los ángulos del salón. Miradas dubitativas. Miradas sorprendidas.

La asamblea se transformó en un caos. Todos comenzaron a hablar a la vez. Todos querían exponer sus teorías. No había hecho falta que Flavia Correa nos nombrara: algunos ya querían relatar alguna anécdota y apuntar alguna pista (falsa). Que Rafa merodeaba todos los días por la puerta. Que Domingo había querido entrar a la fuerza. Que tal vez Fernando había sido convencido por el entrenador de fútbol para cortar los cables. Pero ninguno hablaba de motivos. ¿Para qué y por qué habíamos saboteado la toma? Tampoco habían dicho nada aún de mí. Fue el Rata el primero en nombrarme como el cómplice de los de afuera. Había cables cortados desde dentro del colegio, los había encontrado. Y, ¿qué hacía yo en la toma cuando nunca me había importado el movimiento estudiantil?

No hablé. Todo era tan absurdo que no tenía ganas de rebatirlo. Paula se levantó y dijo que Flavia Correa mentía. Flavia Correa me llamó traidor.

Valentín levantó las manos y pidió calma, ya era suficiente. No había pruebas para acusar a nadie, añadió. Flavia Correa lo enfrentó. Lo acusó de ser un blando. Que la toma estaba yéndose a pique por no tener un líder fuerte.

Aldo propuso que Flavia fuera la presidenta. El Rata aulló que la seguridad era lo primero.

Mellado se levantó parsimoniosamente de la silla y dijo que Flavia Correa era una déspota estalinista. Flavia Correa le contestó que a quién llamaba estalinista cuando él era un maoísta de mierda.

En pocos segundos la sala de reuniones se convirtió en un caos. Todos gritaban. Algunos se pararon sobre los pupitres. Nadie escuchaba. Y a mí, que era el supuesto saboteador, me habían olvidado en las últimas filas. Así que aproveché y me escabullí hacia el patio. Me cerré el polerón, la noche estaba helada, como si el invierno se hubiera dejado caer de sopetón. Alguien estaba sentado en un banco, cerca de la cancha de fútbol, fumando.

Me llamó por mi nombre. Era Enei.

—¿Y ahora por qué están peleando?

—Por el corte de los cables. Algunos creen que fui yo.

—¿En serio? —Enei rompió a reír.

—Eso dice Flavia Correa. Flavia Correa es la alta...

—Sí, ya sé, la que está buena...

Me detuve junto al banco. Enei me ofreció el cigarro y cuando lo rechacé le dio una última pitada y lo apagó.

—Esta toma te debe parecer muy aburrida —aventuré.

—Para nada.

—Pensé que te irías al despertar, que tendrías ganas de volver de inmediato a tu liceo. No se ven pacos en las calles. Y aunque los hubiera no pueden hacerte nada... No te tienen fichado ni nada parecido, supongo.

Enei no contestó. Solo estiró los brazos y las piernas, como si las tuviera entumecidas. Y yo comencé a preguntarme qué hacía Enei con nosotros.

—¿Cuándo piensas irte?

—Mañana, mañana puede ser un buen día.

—Mañana es la marcha.

—Sí, lo sé.

—¿Te ha vuelto a dar otro ataque?

—No. Pero puede suceder en cualquier momento.

Entonces, Enei se sacó del bolsillo el celular de Flavia Correa. Rojo fuego. Inconfundible.

—¿Qué haces con eso?

Enei se rió.

—No pude resistirme. Es un teléfono ultramoderno. ¡Hace unas fotos increíbles! —y comenzó a sacar fotos hacia la sala de reuniones. Cuando vio mi cara, lo apagó y encogió los hombros—. Ya lo voy a devolver. No estoy usándolo para llamar, solo quería probar la cámara y los juegos.

En la sala los gritos cesaron. Todos salieron, serios, enfurruñados, las cabezas bajas, y se fueron repartiendo en parejas o en pequeños grupos entre las diversas salas.

Busqué a Paula, la tomé de la mano y caminamos hacia el fondo del patio, donde estaba más oscuro y donde ya nadie podía oírnos.

—¿No te parece raro este Enei? —le pregunté—. ¿Y por qué Valentín le tiene tanta confianza?

—Supongo que porque es mayor que nosotros y tiene más experiencia política.

—No sé, no me parece. No intervino en la asamblea y después ¿te fijaste en lo contento que se puso cuando le entregaron la mochila con los celulares? Andaba jugando con el de Flavia Correa...

Paula alzó las cejas.

—Sí, es muy extraño que aún no se haya devuelto a su liceo...

—Esta toma se ha puesto demasiado rara.

Entonces le propuse que nos fuéramos, que abandonáramos, que nos largáramos del colegio. Ella negó con la cabeza.

—Vámonos —insistí abrazándola.

—No voy a irme —se soltó del abrazo con un movimiento suave pero enérgico—. Estoy comprometida con la toma. Parece que no lo has entendido. No estoy aquí para hacer vida social ni para pololear. De verdad creo que es importante lo que estamos haciendo. De verdad creo que es algo que puede cambiar algunas cosas, por pequeñas que sean.

Retrocedí unos pasos, hasta recostarme en el muro del patio.

—No digas que no te entiendo —comencé a hablar mucho más sereno de lo que esperaba. Y me sorprendió no estar ofendido ni rabioso por lo que había dicho Paula—. Reconozco que cuando me quedé lo hice sobre todo por ti. Porque me desafiaste, porque me gustabas y porque tenía curiosidad. Pero no es por ti por lo que sigo aquí. En estos días me he dado cuenta. No soy como tú. No puedo vociferar que estoy comprometido y que creo en todo lo que hablamos en las asambleas. Pero ya estoy dentro, ya estoy involucrado. Es algo extraño, no puedo explicarlo bien, pero me emociona pensar que ahora mismo hay muchos otros como nosotros, en sus colegios y liceos, encerrados algunos días, marchando otros, reclamando atención sobre la pésima educación que recibe la mayoría, y que nosotros aquí, aunque no estamos mal, nos solidaricemos con ellos —las palabras me salían fluidas, como si las hubiera meditado mucho, aunque no fuera así—. Eso me compromete. Y por eso me asquea profundamente que los que estén al mando sean personas como Flavia Correa.

Paula se quedó en silencio, mirándome.

—Flavia Correa es una sola entre muchos que valen la pena —dijo por fin—. Están Valentín y César, y Clara y Petrosi, y todos los demás. Si Flavia Correa es una ambiciosa y quiere dividirnos, hay que enfrentarse a ella, no huir.

—¿No entiendes que no confían en mí?

—No te hagas la víctima, Nicolás. La mayoría te defendió en la asamblea. Y si aun así crees que desconfían de ti, aprende a ganártelos. Comparte más.

—¡Pero si compartimos todo el día!

—Estás en la toma, pero no estás. Andas solo por ahí. Te refugias en el gimnasio o en el segundo piso. Apenas participas —se calló y suspiró, cansada—. Préstame tu celular. Quiero confirmar una cosa.

—¿Por qué entregaste el tuyo? —no quería ser antipático, pero mi tono lo fue.

—Porque me dio la gana. ¿Algún problema?

—No querías que la gente pensara que eres poco solidaria...

—¿Tienes ganas de pelear conmigo?

—No —al instante me arrepentí y le pasé el teléfono—. Está sin batería. El Mangueras te puede pasar un cargador.

Entonces se acercó y me dio un beso generoso y cálido.

—Me voy. Tengo que hablar con Valentín y con César. Tenemos que hacer algo para neutralizar a esa víbora de Flavia Correa.

—Eso, bien, déjame aquí solo. El deber político está por encima de todo.

Paula se rió.

—Si eres celoso empezamos mal.

—Claro que no soy celoso —mentí, y algo me hizo cosquillas por dentro: Paula había dicho "empezamos". Así que estábamos empezando algo. Ella y yo. Era una sensación rara, de satisfacción y de temor a la vez—. ¿Y quién es ese tal César que nombras sin parar?

—Mellado. César Mellado. No sé por qué todos tienen la fea costumbre de llamarlo por su apellido.

Esa noche esperé a Paula largo rato. Primero en el gimnasio, donde estuvimos pintando pancartas hasta muy tarde. Luego en la Sala 6, sobre mi colchoneta. Confiaba en que vendría al terminar sus reuniones y me acariciaría la cabeza, o la espalda. Me dormí imaginando que estaba ahí a mi lado.

NUNCA NADIE SE ENTERÓ DE QUE ME QUEDÉ CON ESTE JUEGO DE LLAVES. HACE AÑOS QUE SE OLVIDARON DE ESTA PUERTA ESCONDIDA AL FINAL DEL PATIO. HA SIDO MI SECRETO Y MI ENTRETENIMIENTO. AHORA ME HA SERVIDO PARA VISITAR LA TOMA, A MEDIANOCHE, SIN QUE LO SEPAN.

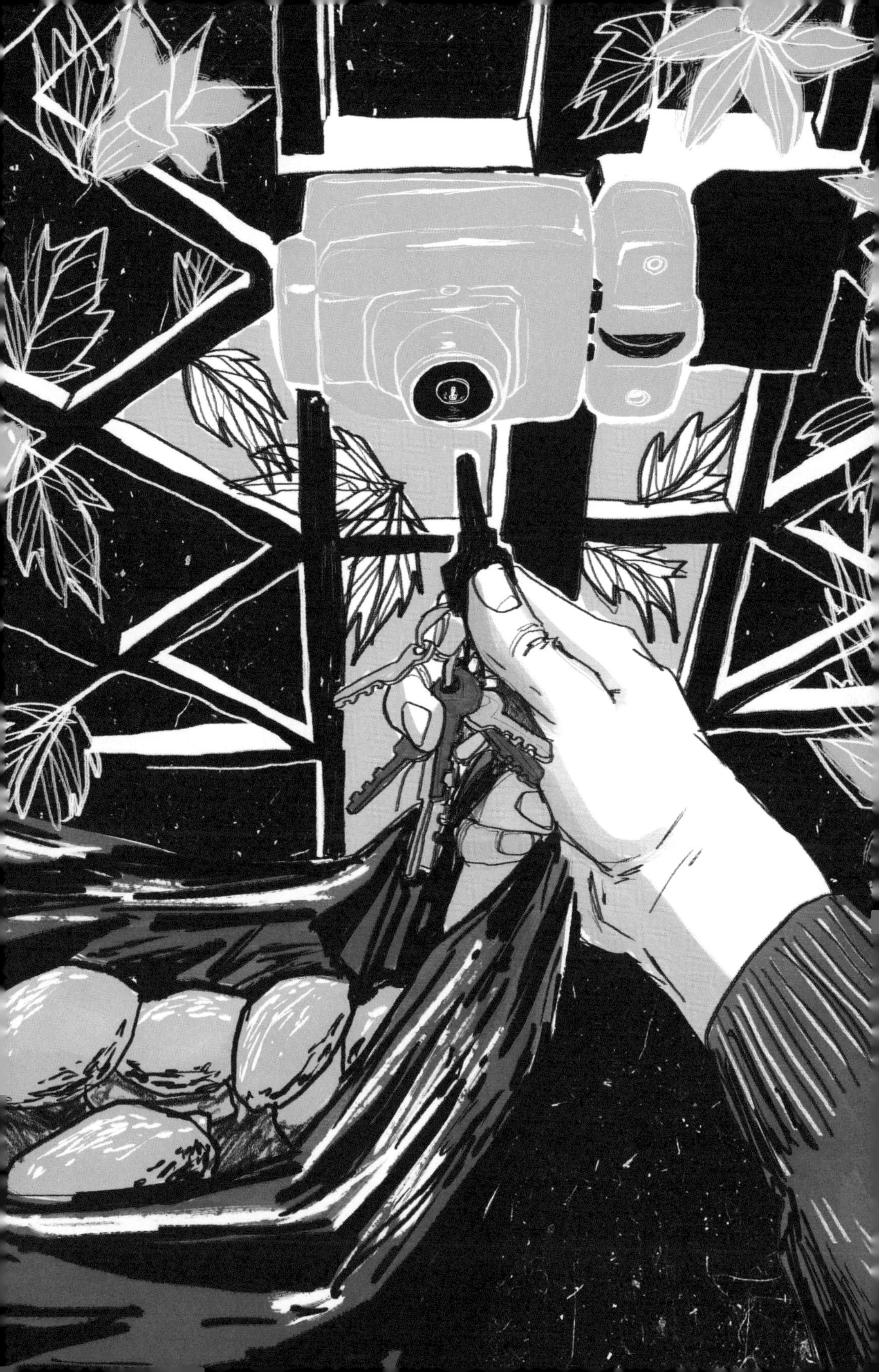

12
EN DEFENSA DE LA
EDUCACIÓN PÚBLICA
¡ORGANIZACIÓN
Y LUCHA!

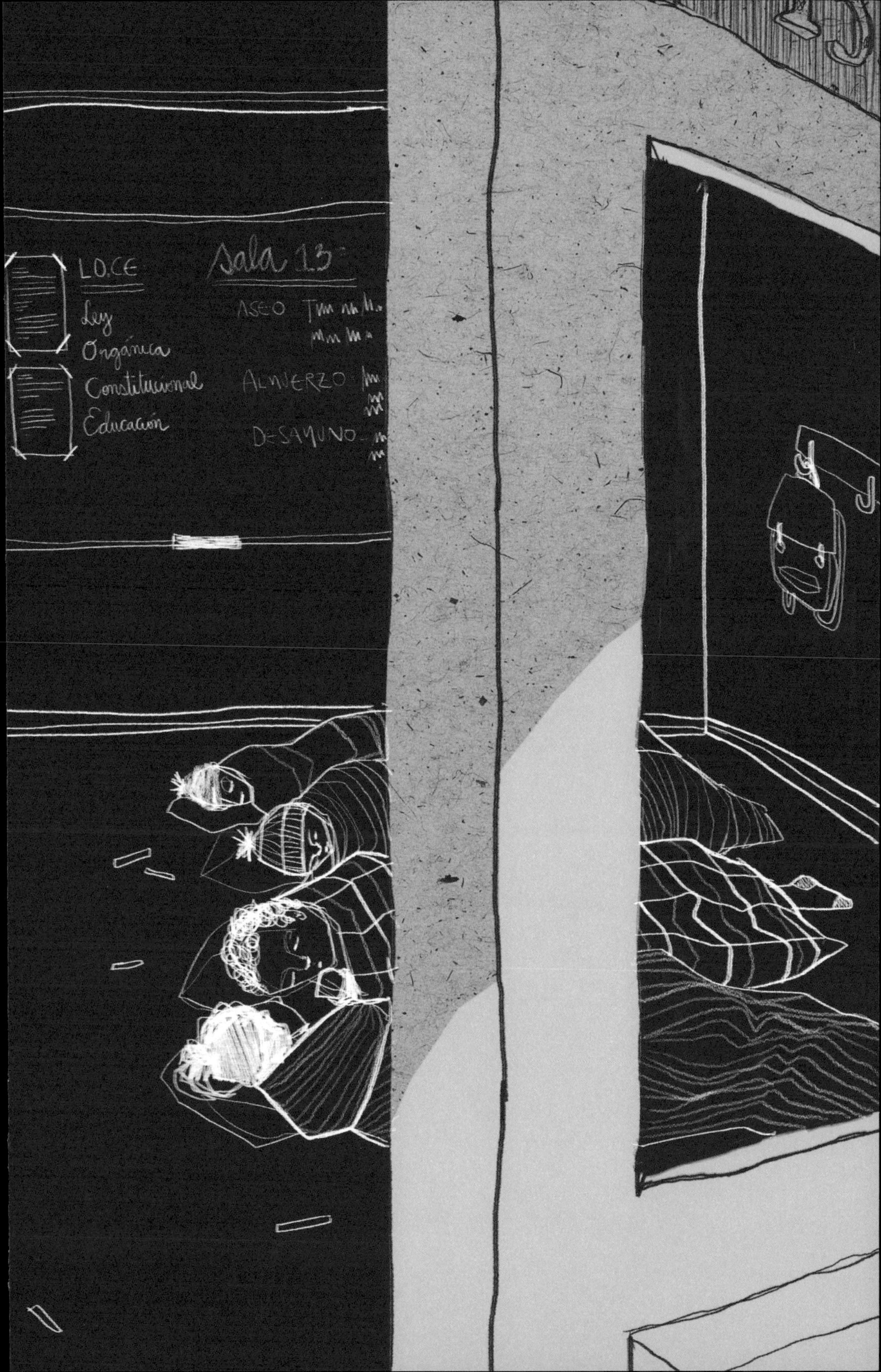

LO.CE
Ley
Orgánica
Constitucional
Educación
Sala 13
ASEO
ALMUERZO
DESAYUNO

LIMONES PARA LOS NIÑOS. MAÑANA LOS VAN A NECESITAR.

Martes

SÉPTIMO DÍA EN TOMA

En la mañana, cuando me desperté, ya estaba lloviendo: un chaparrón inclemente, helado y continuo, como pocas veces se ven en Santiago. Tenía frío. Me puse toda la ropa que tenía a mano, una camiseta encima de la otra, el polerón, dos pares de calcetines. Junto a mi colchoneta, en el suelo, había dos limones. Pensé que me los había dejado el Mangueras para llevar a la marcha y combatir las lacrimógenas, así que me los guardé en el bolsillo y bajé a la cocina, donde varios tomaban café y desayunaban apurados.

La Tini se acercó y me ofreció una taza humeante.

—¿También encontraste limones al lado de tu cama? —me preguntó y yo los saqué del bolsillo y se los mostré. La Tini se rió.

—¿Tú también? —pregunté.

—Sí, sí. Todos. Todos recibimos limones.

—¿Quién...?

—No sé, un regalo de los duendes —y se encogió de hombros—. Oye, no le hagas caso a Flavia Correa. Sabemos que no fuiste tú.

Me contó que ya varios estaban en el gimnasio, terminando

las pancartas. La cita era allí, en el gimnasio, a las diez. Valentín daría algunas indicaciones y saldríamos a la marcha. Había que decidir quién se quedaría cuidando el colegio. Como nadie quería perderse la marcha, lo iban a sortear. Sería una lata para el que le tocara.

—¡Ojalá no me escojan a mí! Siempre tengo mala suerte en los sorteos —la Tini estaba muy nerviosa, se frotaba las manos y tenía los cachetes colorados.

Entonces supe lo que tenía que hacer. Busqué a Valentín y me ofrecí a quedarme en el colegio mientras todos iban a la marcha. Era lo que mejor sabía hacer. Lo hacía muy bien, de hecho. Cuidar el arco. Cuidar las puertas de la casa. Valentín me miró extrañado unos segundos, perplejo con mi petición.

—¿Estás seguro? —preguntó.

Asentí. Estaba completamente seguro.

Valentín me dio unas cuantas instrucciones y me aseguró que volverían a las cinco o seis de la tarde. Entonces traería noticias, sabríamos qué estaba sucediendo allá afuera con el resto de los liceos y colegios, cuánto tiempo más continuarían las tomas y si ya era hora de bajarnos.

—Gracias —dijo, y me tendió la mano—. Todos lo van a apreciar.

—Mejor es que no lo anuncies. No les digas que soy yo el que se va a quedar. A algunos no les va a parecer bien; mejor no buscar problemas.

Salí de la Base Uno satisfecho. Todos se dirigían al gimnasio para terminar las pancartas y prepararse para salir. Tuve ganas de pasar a hablar con Paula. Pero preferí subir a mi Sala 6 e intentar pasar lo más desapercibido posible hasta que se fueran.

Debo haberme quedado dormido mientras leía lo último que había escrito en este diario.

ALLENDE

LA UCACIÓN
NO E VENDE
¡SE FIENDE!

El Bello Durmiente me miraba a unos metros de distancia. Del zapato se había sacado una navaja y la pulía en la pernera del pantalón. Para no gustarle pelear, como había dicho, lo hacía bastante bien. Yo estaba tumbado boca abajo, en el corredor que daba al patio, apoyado sobre los codos. Me dolía la boca y la sangre del labio goteaba lentamente hasta el suelo. Enei me había noqueado con un efectivo y limpio derechazo.

Sobre el ruido de la lluvia que repiqueteaba con fuerza en el techo del colegio, volví a escuchar los gritos de mis compañeros.

Fueron esos gritos y unos fuertes golpes metálicos los que me habían despertado hacía unos minutos.

Había bajado las escaleras de dos en dos. Localicé los gritos: provenían del gimnasio. Corrí por el patio, bajo la lluvia, empapándome en segundos. Desde dentro todos pedían que les abrieran. Forcejeé con la puerta del gimnasio pero estaba bien cerrada con llave.

¿Cómo se habían quedado allí atrapados? Parecía una broma de mal gusto.

¿Qué pasa?, grité. Me insultaron, como si yo tuviera la culpa.

Claro, yo estaba afuera. Todos ellos, adentro.

Golpeé, les prometí que iba a sacarlos. Desde dentro todos volvieron a gritar. Entre la algarabía confusa y desordenada, intenté reconocer la voz de Paula, pero era imposible. El ensordecedor repiqueteo de la lluvia en el techo de metal del gimnasio apenas nos permitía entendernos.

Tenía que pensar, rápido, ¿dónde encontrar herramientas para forzar la cerradura? Miré a todos lados.

Y entonces lo vi. Enei estaba parado en el corredor, los brazos a los costados de su cuerpo delgadísimo, fascinado con la lluvia.

Lo llamé para que me ayudara, le hice gestos con las manos. Pero él se quedó allí sin moverse.

Tardé unos segundos en darme cuenta. Tenía un llavero en la mano, le daba vueltas entre los dedos.

Me lancé sobre él sin pensarlo. No quería pegarle, solo quitarle las llaves. Me esquivó, pero le alcancé el hombro con el puño cerrado. Retrocedió unos pasos y me dijo jadeando que no quería pelear. Se acariciaba el hombro lastimado.

Le grité que abriera las puertas del gimnasio. Le dije que si no me entregaba las llaves se iba a arrepentir. Y me tiré de nuevo sobre él, con todo el cuerpo.

Entonces, a lo lejos, escuché los ladridos de los perros.

Creo que ya he dicho que les tengo mucho miedo a los perros. Es algo completamente irracional. No es que me haya mordido un perro alguna vez o que de chico me amenazaran con ellos. Nada de eso. Simplemente no nos gustamos, los perros y yo.

Los ladridos me paralizaron y ahí fue cuando Enei me lanzó el derechazo y caí al suelo. Antes de que me incorporara, sacó la navaja del zapato y la enarboló frente a su cara. Era una navaja de mango negro con una hoja larga, brillante.

—Te podría traer algodón, para la boca, arquero, pero no tengo tiempo —dijo con voz tranquila—. Ya es hora de irme. Un par de cosas más y me largo.

Me incorporé y me limpié la cara con la camiseta sin perder de vista la navaja que Enei movía ahora con destreza de un lado a otro, como en una película de kung fu.

—¿Qué eres? ¿Un ladrón? —pregunté. Al hablar me dolía la mandíbula.

Enei sonrió y repitió divertido:

—¿Quieres decir un lanza? ¿Un choro?

—¿La narcolepsia también es mentira?

—¿Eso? No, no, en serio que a veces me duermo sin querer —se rascó la cara, apesadumbrado.

—Y no eres del Aplicación, claro.

—Yo no voy al colegio desde hace años, compadre. No tengo el gusto —pensó algo un momento y luego me dijo—: Levántate y acompáñame. Vas a ayudarme.

Se acercó y me pinchó con la navaja. No solo era brillante sino que estaba muy afilada. Me guió hasta la Base Uno y, sin quitarme la vista de encima, tomó la mochila con los celulares y la vació sobre la mesa. Con rapidez eligió algunos teléfonos, entre ellos el rojo fuego de Flavia Correa, y los volvió a echar en la mochila. Luego, revisó metódicamente la mesa de reuniones y los escritorios y seleccionó un par de cuadernos, supongo que de Valentín.

—Vamos —dijo, y con la navaja ahora apoyada en mi espalda,

me condujo hasta la sala de computación.

Intenté que mi cuerpo despertara, que se pusiera alerta, que reaccionara como cuando tienes que esquivar un marcaje en los entrenamientos. Pero no podía. La navaja me aterraba. Es muy distinto tener encima un cuerpo humano, piel, músculos, brazos, a un arma de metal clavada entre las costillas.

—Este, este, y también este —me indicó los computadores más nuevos—. Comienza a desenchufarlos, huevoncito, y ponlos todos en el suelo —ordenó.

Me agaché bajo las mesas y comencé a desconectar los cables. Enei me vigilaba desde la puerta.

—Hazlo más rápido. Estoy apurado.

Mientras desenchufaba los computadores, miré alrededor buscando algo en la sala que sirviera para defenderme de Enei y su navaja: un palo, una escoba, pero solo había sillas, cables, mesas.

Intenté calmarme: tenía que pensar con frialdad.

¿Qué había hecho con mi teléfono celular? La noche anterior se lo había pasado a Paula. Si lo tenía consigo, podía llamar y pedir ayuda. Ojalá ya lo hubiera hecho. Y yo mientras tanto tenía que ganar todo el tiempo que pudiera.

—Se nota que eres un profesional...

Enei sonrió, complacido.

—Hago lo que puedo.

—¿Trabajas solo o tienes una pandilla?

—¿Pandilla? —me miró esbozando una sonrisa cándida—. Nada de pandilla, compadre. O bueno, según cómo lo mires, podría ser una gran pandilla, todo un escuadrón.

—Fue muy ingenioso. Hacerte pasar por un alumno del Aplicación. También lo de los celulares. Cortar las comunicaciones. Y lo de encerrarlos en el gimnasio...

—Algunas cosas las improviso. Hay que estar preparado para todo. Por ejemplo, se suponía que tú también tenías que estar allí dentro...

—¿Cómo piensas llevarte todo esto?

Sin responderme, salió al pasillo, echó un vistazo hacia el gimnasio y a los pocos minutos volvió a su puesto de vigilancia. Traía una barra de metal en la mano.

—¿Llevarme? —repitió, distraído. Y luego observó detenidamente cada uno de los computadores, evaluándolos—. Compadre, esto es una vergüenza... Pensé que en un colegio privado tendrían mejores equipos. Por esto sí que deberían protestar y marchar: para exigir que les cambien estos tarros viejos —Enei cambió la navaja a su mano izquierda y con la derecha sopesó la barra de metal—. Bueno, ahora tendrán que comprar otros, así que en realidad les estoy haciendo un favor.

—¿Por qué vienes a robar aquí? No es en los colegios donde deberías robar.

—Mira compadre, no tienes idea de nada. Ni tú ni tus amigos.

—No soy tu compadre. Y los que encerraste en el gimnasio están luchando por algo que puede beneficiar a todos, también a ti.

Y entonces, soltando una carcajada, Enei se guardó la navaja en el bolsillo, empuñó la barra de metal como si fuera un bate de béisbol y comenzó a golpear todos los computadores que yo había apilado en el suelo. Con eficacia. Uno a uno. Haciendo añicos las pantallas.

—¿Qué estás haciendo? —grité.

Enei apoyó la barra de metal en una mesa y se pasó la manga del polerón por la frente. La arremetida contra los computadores lo había hecho sudar.

—Yo no puedo andar perdiendo el tiempo con tonteras, como ustedes, unos niños cuicos creyendo que luchan contra la injusticia —Enei se volvió a asomar al pasillo. Los gritos continuaban, más espaciados, pero igual de desesperados—. Alborotando en lugar de estudiar —agregó con desprecio.

—¿Quién eres?

—¿Qué voy a hacer contigo?—Enei se acercó y me puso la navaja muy cerca del cuello. Las venas de la sien le palpitaban y eso me dio mucho más miedo que tener aquel cuchillo a milímetros—. No puedo dejarte aquí porque tarde o temprano lograrás rescatarlos. Y mi idea es que nadie salga del colegio, por lo menos hasta que se acabe la marcha.

Volví a escuchar los gruñidos sordos de los perros, mucho más cerca que antes. Y de pronto, los vi.

Los perros se acercaban corriendo por el patio, ladrando furiosos. Y, justo detrás de ellos, esa figura extraña, levemente encorvada, protegida de la lluvia por un gran paraguas negro.

Yo estaba en el suelo, arrodillado, con Enei encima mío amenazándome. Enei demoró en reaccionar. La vieja hizo un sonido curioso con la boca, como un chasquido, y los perros lo rodearon gruñendo y mostrando los colmillos. Enei se quedó paralizado; yo también. Pero después de unos segundos hizo un gesto vago con la mano, intentando disimular la navaja.

—Guarda eso si no quieres que te muerdan. A mis perros no les gustan los cuchillos —estaba más arrugada y era mucho más pequeña que como la recordaba. Sin embargo, los ojos de 'la loca de los perros' conservaban ese destello temible que nos aterrorizaba cuando niños. Se acercó a Enei y los perros le abrieron camino. Lo miró de arriba abajo, estudiándolo con mucha atención—. Pero, ¿de dónde sales tú, chiquillo?

Enei guardó la navaja en el bolsillo de su pantalón, lentamente, sin quitarle la mirada a la vieja.

—Muy bonitos sus perros, señora. De pura raza.

—Los muchachos tienen que ir a la marcha, lo sabes, ¿verdad? —la vieja se acercó aún más a Enei. Aunque este le sacaba más de una cabeza, ella se paró muy erguida frente a él y le habló con autoridad—. Dame las llaves del gimnasio y dejaré que te vayas sin más historia.

Yo me mantenía a una distancia prudencial de los perros. En

ese momento no pensaba en nada, creo. Me parecía estar en una película, o en una novela, flotando en esta escena irreal y magnífica: el ex-Bello Durmiente vencido, la vieja con su mirada fiera, los perros y sus cuerpos mojados y vibrantes, la lluvia sorda cayendo en el patio. Y yo, contemplándolo todo como si estuviera muy lejos.

Enei sacó las llaves del bolsillo y se las pasó a la vieja. Ella, sin mirarme, me las entregó.

Cuando corría hacia el gimnasio aparecieron Rafa, Fernando y Domingo por la esquina del edificio. Casi nos chocamos. Me quedé boquiabierto. ¿Cómo habían logrado llegar hasta allí? Olvidé los perros, a Enei y a la vieja y corrí hacia ellos. Nos abrazamos, como cuando nuestro equipo anotaba un gol.

Habían entrado al colegio por una pequeña puerta que comunicaba el pasaje trasero con una esquina del patio, justo detrás del gimnasio, me decía Domingo mientras sostenía algo grande en las manos, algo que parecía una pancarta enrollada.

—Paula nos llamó desde tu teléfono y vinimos corriendo —contaba Rafa.

—No entendíamos nada de lo que nos decía, pero supimos que teníamos que venir —Fernando me apretaba los brazos, nervioso y contento.

—Rodeamos el colegio y encontramos esa puerta abierta, estaba escondida, tapada con las enredaderas —siguió contando Rafa.

De pronto me acordé de nuestros compañeros, encerrados en el gimnasio.

Había comenzado a escampar y el patio estaba cubierto de grandes charcos de agua. Corrí con las llaves y abrí la puerta metálica.

Todos se apretujaban para salir.

Salían y me abrazaban, gritando, riendo, corriendo hacia el patio.

También abrazaban a Domingo y a Rafa y a Fernando.

Yo apartaba a la gente, buscando a Paula.

Fue una de las últimas en salir. Miraba a todos lados. Supe que estaba buscándome, porque al verme corrió y me abrazó fuerte, muy fuerte. Y así estuvimos, un rato largo, con los zapatos metidos en un charco de agua. Y le besé los labios y las mejillas, y ella apretó su cara contra mi cuello.

La vieja silbó y los perros se reunieron obedientes a su lado. Se acercó a nosotros, los siberianos siguiéndola. Yo me puse en guardia, ya saben, los perros.

Por el rabillo del ojo vi cómo Enei se escabullía hacia la puerta, la mochila de los celulares bien agarrada en el hombro.

—Nicolás Hernández, Paula Santacruz —dijo la vieja, como pasando lista—. Tengan mucho cuidado en la marcha. Tú, Paula, puedes convencer a todos de mantener la tranquilidad, de no hacer nada imprudente...

—¿Quién es usted? —preguntó Paula, que escuchaba sin entender nada. La vieja pareció encogerse aún más, los ojos se opacaron pero solo fue un segundo. Levantó la vista, miró a Paula y dijo:

—Nadie importante, en realidad. Una testigo solamente —y dándose la vuelta hacia sus perros, susurró un nombre que yo ya intuía—. Me llamo Luisa Garretón. Vivo acá al lado.

EDUCACIÓN
GRATIS
y fútbol

UANOS

EPÍLOGO

Esta mañana, buscando el cuaderno de castellano del año pasado, me encontré con mi "diario de la toma". Me pareció que en lugar de un año habían pasado diez. En un año muchas cosas han cambiado. Y otras, no tanto como hubiéramos querido.

Los pongo al día:

La marcha fue un éxito. La convocatoria al Paro Nacional fue seguida por el ochenta por ciento de los liceos movilizados. Estamos hablando de 250 colegios y de más de 600.000 estudiantes en todo el país. Nosotros entre ellos.

Fue una fiesta. Sentíamos que la calle nos pertenecía. La gente gritaba consignas, cantaba y bailaba. Había montones de tambores sonando. Rafa y Fernando caminaban con su pancarta reivindicativa del fútbol que a todos hizo reír.

De regreso en mi casa, María José me recibió con besos y abrazos. Ernesto me palmeó la espalda en plan 'hombre a hombre'. Hasta mi hermana chica me dijo que me había echado de menos. Era como si hubiera vuelto de la guerra.

Y, bueno, no fue una guerra tal cual, pero a ratos lo pareció. Hubo mucha violencia. Detuvieron a más de 300 personas. Frente al Liceo de Aplicación tuvo lugar una batalla campal. En la Alameda, los pacos enloquecieron y agredieron a estudiantes y también a varios periodistas.

En la esquina con Avenida República pasó una patrulla lanzando bombas lacrimógenas. Algunos estudiantes le respondieron con bombas de pintura. Todo se llenó de humo, una nube de humo espeso y blanquecino, tóxico. El guanaco emergió de la niebla como un monolito de chatarra verde: estaba a unos pocos metros, esperándonos. Y también apareció de la nada un regimiento de antidisturbios con máscaras y escudos marchando como soldados de una guerra de verdad. Y la caminata pacífica se volvió un caos. La gente se desperdigó. Todos corrimos. Algunos se quedaron y enfrentaron el chorro de agua del guanaco. La mayoría nos escapamos hacia el sur de la Alameda por las calles laterales. La cara, los ojos y la boca y la garganta nos ardían. Apenas podíamos respirar. La vista se nublaba. Menos mal que teníamos los limones de Luisa Garretón; es un remedio muy efectivo. Partí uno por la mitad y se lo puse a Paula en la boca.

En medio de la humareda, tuve una visión tan fugaz como incierta: Enei a un costado de la Alameda, junto a una patrulla policial. ¿Era realmente él? ¿Era Enei el que acercaba su cara a un paco y escuchaba y asentía?

Después de la estampida, cuando todos regresamos por

distintas calles y atajos a nuestro colegio, no nos sorprendimos demasiado al ver al Director en la puerta. Llamó a Valentín para hablar con él aparte. Pero Valentín le dijo que podía hablar con todos, todos los que estábamos ahí tomábamos las decisiones. El Director no parecía preparado para dar un discurso a aquella audiencia y retrocedió un poco, cohibido. Valentín entonces se paró frente a la puerta y nos anunció que era el momento de bajarse de la toma y volver a casa. La Asamblea Coordinadora de Estudiantes Secundarios había pedido al Ministro de Educación que los colegios privados tenían que estar incluidos en todas las peticiones. Entonces suspiró, aliviado. Nos dijo que habíamos hecho mella. Que nuestra toma había marcado una diferencia.

Yo me sentía feliz de haberme quedado, de haber resistido, como había pedido María José.

Entramos al colegio en silencio, recogimos nuestras cosas y nos despedimos de esas salas de clase que habían sido nuestra casa durante una semana.

Como les decía, eso fue hace mucho tiempo. Ahora, aunque sigo jugando fútbol, formo parte del Centro de Alumnos. Y Rafa también. Quién lo diría, ¿no? Paula es la presidenta, claro, era de suponer. Y ella y yo estamos muy bien. Mis amigos siguen siendo Rafa, Fernando, Domingo. Pero también el Gordo Mellado, Ana la peluquera y hasta Valentín, que, descubrí, es un secreto lector de novelas negras, como yo.

Fernando ganó la apuesta del Mundial de Fútbol. Italia, su

equipo favorito, se coronó campeón tras derrotar a Francia por tanda de penaltis en un partido brutal. Paula y yo le escribimos una carta a Zidane contándole de la lucha de los estudiantes en Chile. Nos envió una foto autografiada que colgamos en la Sala 6. Aldo dice que la vendamos por Internet para juntar fondos para el Centro de Alumnos.

A 'la loca de los perros' ya no la llamamos así. Le decimos Luisa. Una tarde fuimos a verla con María José y el Gordo Mellado. Y aunque al comienzo ella seguía con la cara fiera y un gesto huraño, murmurando que no le gustaban las visitas, terminaron ella y María José abrazadas y echando unos lagrimones.

A Enei me ha parecido verlo en alguna otra manifestación. A veces, con una capucha que le deja solo los ojos a la vista. A veces, cerca de una patrulla policial. Pero no estoy seguro de que sea realmente él. Con Paula lo hemos hablado y ninguno de los dos tiene claro qué hacía en nuestro colegio, qué buscaba, a qué estaba jugando y exactamente a qué bando pertenecía.

Y una cosa increíble: Domingo y Flavia Correa andan juntos. A ella se le olvidó la política y está de acuerdo con él en que Santiago es una ciudad horrible en un país demasiado estrecho y que hay que salir cuanto antes de aquí.

Yo, en cambio, siento que la ciudad es cada vez más mía. Me gustan sus calles sucias, las paredes grafiteadas, los parques tranquilos. Me gusta caminar por el centro y vagar por las viejas galerías en busca de cómics. Me gusta acercarme por las tardes al río, que corre marrón y a veces apestoso, y desde allí ver aparecer a lo lejos la cordillera, esa visión de la montaña nevada, brumosa y lejana, como si allá arriba aguardara un reino mágico y perdido, inalcanzable.

Es bueno haber encontrado este diario. Fue una sorpresa encontrarlo, y todavía más leerlo.

Me sirvió para darme cuenta de que todo pasó en solo una semana.

Siete días.

Siete días pueden cambiarte.

Ha pasado un año desde entonces y ahora más que nunca creo que la batalla por una educación de calidad para todos, por un país más justo, es algo posible. Estamos trabajando en ello. Somos muchos. En todas partes.

Pero, no puedo evitarlo, las asambleas me siguen aburriendo muchísimo.

En mayo de 2006 cientos de estudiantes secundarios chilenos salieron a las calles a marchar y también ocuparon sus colegios en señal de protesta. Reclamaban contra la Ley de Enseñanza, la desigualdad y contra la educación concebida como un negocio y no un derecho. Se le llamó la *Revolución de los Pingüinos.*

Cinco años más tarde, en 2011, la revolución estudiantil en Chile, encabezada por los universitarios y por una serie de carismáticos líderes, saltó a las portadas de la prensa mundial. Cuatro de aquellos líderes hoy son los diputados más jóvenes del Congreso Nacional.

Esta historia, ficticia, está inspirada libremente en esos acontecimientos.

LOLA LARRA nació en Santiago de Chile, creció en Caracas y trabajó muchos años como periodista en Madrid. En 2006 regresó a Chile, donde comenzó esta historia en un cuaderno de notas, durante una visita a una de las tomas de la *revolución pingüina*. Ha publicado cuentos y novelas, tres de ellas para jóvenes. Su obra se ha traducido a varios idiomas y ha recibido diversos reconocimientos por su trabajo.

VICENTE REINAMONTES es un ilustrador y diseñador chileno con una incurable vocación por el activismo, la cultura y los proyectos editoriales. Colabora regularmente con revistas chilenas e internacionales y también con varios colectivos artísticos y académicos. Al igual que el protagonista, formó parte del movimiento estudiantil cuando era tan solo un adolescente, lo que marcó su manera de enfrentar los retos que le ha presentado la vida.

www.reinamontes.com

Agradecimientos

A mis editoras, Sara y Verónica, que recuperaron este manuscrito.
A Rafa, Domingo y Ferran, que por echarles tanto de menos lo inspiraron.
A Ceci, Ángela, Natalia, Olga, Coté, Irene, Kurusa y los Pablos, por leerlo tan cariñosamente.
A Vicente, por darle vida y sentido con sus extraordinarias ilustraciones.
A Iván y a Martín, por llevarlo a término.
Y especialmente a Cael, que me llevó a la toma.

L.L.

A Jorge Valenzuela, Ornella Raglianti, Johanna Romero, Diego Angulo, Franco Cárcamo, Carlos Romo, Jonathan Jacobsen y Ángela Manríquez, por su paciencia y disposición como modelos de varios personajes.
Y al equipo de Ekaré Sur por toda su confianza y apertura con mi trabajo, además de la simpatía y honestidad con la que se planteó el proyecto.

V.R.

GLOSARIO

Arco: portería.
Arquero: portero.
Bacán: algo que mola, chévere, chido, buena onda, bacano.
Cabro, cabra: chaval, chavala; niño, niña; chamo, chama; chico, chica.
Carabineros: policía.
Carrete: fiesta, marcha.
Comité Pro-FESES: agrupación de organizaciones estudiantiles.
Condoro: metida de pata.
Cuicos: pijos, fresas, sifrinos.
FECH: Federación de Estudiantes de la Universidad de Chile. Se fundó en 1906 y ha sido un actor político relevante en varios momentos de la historia del país: en el proceso de reforma universitaria en los años 60 y en las protestas contra la dictadura en los 80.
Fome: aburrido.
Guanaco: carro lanza agua usado por los carabineros para disolver manifestaciones.
Latero: pesado, aburrido.
Liceo de Aplicación: uno de los liceos públicos más antiguos y prestigiosos del país junto al Instituto Nacional, el Barros Borgoño y el Liceo Carmela Carvajal, entre otros. Sus alumnos participaron activamente en las protestas contra la dictadura y también en las tomas y manifestaciones para reformar la educación en 2006 y 2011.
Momio: de derechas, conservador.
Municipalización: durante la dictadura de Pinochet, las escuelas y liceos públicos dejaron de depender del Ministerio de Educación y pasaron a ser financiados por las municipalidades. Esto significó una gran desigualdad en los recursos que recibían las escuelas de las zonas más pobres.
No estar ni ahí: no estar interesado.
Palta: aguacate, avocado.
Pastelazo: tonto, torpe.
Pendejos, pendex: niños pequeños.
Polerón: pulóver, sudadera.
Pololear: estar de novios, estar saliendo.
Sapo: soplón, espía.
Tenidas: atuendos, vestimentas.
Tiras: policías de civil.
Toma, en toma: ocupación de un colegio.
Vale hongo: no vale nada, no importa.
Zorrillo: carro lanza gases usado por los carabineros para disolver manifestaciones.

ÍNDICE